CW00417617

# La flore de l'Île de Hummock
# Îles Falkland

Alizée Fouchard et Katharina Kreissig

## Informations générales

Textes : Katharina Kreissig (D)
Traduction : Alizée Fouchard (F)

Travail de terrain :
Simon Browning (UK), Alizée Fouchard (F), Valentin Nivet-Mazerolles (F), Ken Passfield (FI), Sally Poncet (FI), Dr. Klemens Pütz (D), Judith Wehmeyer (D)

Traitements des relevés, recherches et identifications des espèces :
Alizée Fouchard (F), Katharina Kreissig (D), Sally Poncet (FI)

Préface : Dr. Martin Bauert, Conservateur principal du Zoo de Zurich (CH)

Mise en page : Marianne und Benno Lüthi (CH), Katharina Kreissig (D)

Photographies et dessins :
Simon Browning (UK), Alizée Fouchard (F), Katharina Kreissig (D), Valentin Nivet-Mazerolles (F), Sally Poncet (FI), Dr. Klemens Pütz (D), Judith Wehmeyer (D)

Cartes : Dr. Ludger Feldmann (D)

Première édition 2020
Ce livre est une traduction de l'édition d'origine en allemand « Die Pflanzen von Hummock Island, Falklandinseln » écrit par Katharina Kreissig et Alizée Fouchard et publié par l'Antarctic Research Trust (ART) en 2020. 

Auto-édition de Antarctic Research Trust
L' Antarctic Research Trust, est fondé en 1997, c'est une fondation enregistré dans les îles Falkland depuis 1999, en Suisse depuis 2002 et aux États-Unis depuis 2004. Le but de cette fondation est d'organiser et de soutenir des projets de recherches scientifiques sur les animaux en Antarctique et dans les zones sub-antarctiques afin de les connaitre, les protéger et conserver leurs habitats.

Antarctic Research Trust
General Guisanstraße 5, CH-8127 Forch

Maison d'édition et impression: tredition GmbH, Halenreie 40-44, 22359 Hamburg

978-3-347-12366-3 (Paperback)
978-3-347-12367-0 (Hardcover)
978-3-347-12368-7 (e-Book)

## Remerciements

Tout d'abord, nous souhaitons remercier Klemens Pütz ainsi que Marianne et Benno Lüthi. Ce livre n'aurait pas pu être publié sans leurs conseils et soutiens. Leur engagement et enthousiasme pour les Falkland ont été un modèle et une motivation pour nous. C'est grâce à eux que nous avons eu l'opportunité de voyager dans l'archipel et d'apprendre à les connaitre. Merci également de nous avoir fait confiance pour le projet d'écriture de ce livre.

Sally Poncet a énormément contribué à ce projet, sur le terrain et pour la création du livre. Sally est connue et reconnue pour ses connaissances de la flore et la faune et ses multiples engagements de protection de la biodiversité dans les Falkland. Sally est d'une aide précieuse pour l'identification des différentes espèces et ses commentaires ont été d'un grand bénéfice pour le manuscrit. Nous la remercions chaleureusement d'avoir volontiers partagé ses savoirs et pour l'enthousiasme communicatif à la genèse de ce livre.

Mille mercis à Simon Browning, Valentin Nivet-Mazerolles, Ken Passfield et Judith Wehmeyer, pour leur aide sur le terrain et pour avoir contribué à étoffer la base de données photographiques. Sans eux le livre n'aurait pas existé !

Nous remercions le Dr. Martin Bauert de nous avoir fait l'honneur et l'amitié de rédiger la préface. Merci aussi au Dr. Ludger Feldmann pour la création et le design des cartes de Hummock.

Merci aussi à Bernd Kreissig pour son soutien technique et logistique et en particulier pour l'interprétation et la traduction des noms scientifiques en allemand. Ses connaissances approfondies en langues anciennes nous ont sauvées plus d'une fois !

Évidemment, un remerciement tout spécial pour « l'Antarctic Research Trust » (ART), grâce à eux, l'île d'Hummock est aujourd'hui un refuge pour la faune et la flore. ART nous permet d'entreprendre des recherches sur la biodiversité native. Merci au Conseil d'administration pour les multiples soutiens, y compris financier, à la création de ce livre.

Katharina Kreissig, Ladenburg (D) et Alizée Fouchard, Annemasse (F), octobre 2020

# Table des matières

## Préface

Les Falkland m'impressionnent depuis que j'ai vu, dans les années 80, les scènes de guerre du conflit y opposant la Grande-Bretagne et l'Argentine. C'est probablement le cas pour nombre d'entre nous, aux Falkland nous associons des scènes d'un conflit armé et malheureusement pas celles de paysages grandioses, ni d'une flore et faune exceptionnelle !

Les Falklanders sont des hôtes courtois : les visiteurs sont toujours les bienvenus dans les fermes, peu importe leur éloignement, et accueillis avec du thé et des cookies dans le salon. J'ai pu me rendre compte de cette chaleureuse hospitalité dès mon premier séjour dans les Falkland en Février 2016. En effet, j'ai eu la chance de faire partie du premier voyage d'ART sur l'île de Hummock.

Depuis le bateau, au sens littéral, l'absence d'arbre sur l'île est frappante. De loin, la végétation ressemble à une prairie ou une lande basse similaires à celles qui se développent dans les Alpes ou en Arctique au-delàs de la limite supérieure des arbres. À première vue, les espèces semblent connues : graminées, buissons à baies, plantes en coussins. Mais si on regarde de plus près, les genres et espèces sont typiques et représentatifs de la flore de l'hémisphère Sud. Charles Darwin est venu deux fois dans les Falkland, en 1833 et en 1834, dans ses journaux on peut lire ses premières réflexions sur le développement de la faune et la flore endémiques des îles. Ses idées, murissent depuis son voyage dans l'archipel des Galapagos, où il a étudié la biodiversité endémique et formulé sa théorie sur l'évolution des espèces par la sélection naturelle, qui est toujours validée aujourd'hui.

Aussi isolée que peut paraître la végétation des îles de l'Océan de l'Atlantique du Sud elle est connectée avec le milieu marin. La végétation le long des côtes est soumise aux apports salins. Beaucoup d'oiseaux marins fertilisent les sols avec leurs fiantes, excrétées après des nourrissages en mer. Le vert luxuriant sur et sous les roches visitées par les oiseaux met en évidence l'apport d'azote et de phosphore.

Les côtes sont très dures à pénétrer à cause des formations de Tussack (*Poa flabellata*), une des caractéristiques des Falkland. Une végétation singulière au milieu de laquelle je me sens tout petit. Ces plantes, denses et hautes, sont de véritables barrières contre le vent et forment un microclimat doux quand il souffle fort.

Malheureusement, sur les grandes îles mais aussi sur beaucoup d'autres plus petites, les Tussack ont été détruits par le surpâturage au cours des décennies. Un vaste programme de restauration des habitats de Tussack est entrepris sur Hummock depuis Avril 2019. Sur le chemin entre le lieu de débarquement et la station de recherche de « l'Antarctic Research Trust » (« the House of ART »), vous pouvez apercevoir quelques unes de ces plantations. Plus de 30 000 pousses de Tussack ont été plantées en une année. Les Tussack forment des sols tourbeux dans lesquels les gaz à effet de serre $CO_2$ sont stockés.

A environ 50 tonnes par hectare, le stockage du carbone est comparable à celui des forêts tempérées ! Un bon endroit pour compenser les émissions de $CO_2$ de son voyage en contribuant à la renaturation.

Ce livre, rédigé avec amour et engagement, sera un bon compagnon et une référence pour ceux qui viendront visiter les Falkland (plus particulièrement Hummock), qui s'intéressent à la nature et souhaitent en apprendre plus sur la flore. Environ 80 espèces ont été identifiées sur Hummock. Les missions scientifiques sur île d'Hummock ont réellement commencées avec l'ouverture de la maison ART (« House of ART ») en novembre 2018. Donc, les connaissances sur la botanique de l'île vont probablement s'étendre et des espèces pourront rejoindre la liste.

La bibliographie sur la flore des îles Falkland est restée jusqu'à présent relativement pauvre, et presque aucune référence ne peut être trouvée en Allemand ou en Français. Le livre rédigé par Katharina Kreissig et Alizée Fouchard est donc le bienvenu. Profitez du panel de couleurs, parfois discrètes, des bijoux floristiques qui forment un surprenant contraste avec la dureté du climat des étés sous ces latitudes.

Dr. Martin Bauert
Conservateur principal du Zoo de Zurich / Conseil consultatif de la Fondation ART

## Introduction

L'île de Hummock se situe à l'ouest de l'archipel des Falkland, à 51°37' sud / 60°26' ouest. Sa superficie est de 3,03 $km^2$ (303 hectares) et le point culminant est de 192 mètres. Le socle rocheux de l'île est constitué de quartzite blanc datant d'environ 370 millions d'années. Des activités agricoles ont été entreprises jusque dans les années 80. L'île a d'abord fait partie du domaine de Bertrand & Felton basé à Roy Cove puis, de 1950 à 1969, l'île est louée au « New Island Sheep Farm ». Plus de 400 moutons et chevaux ont pâturés les terres d'Hummock et sur de courtes périodes, des fermiers ont habités les lieux. Depuis 1981 plus aucun animal de ferme n'est venu sur Hummock.

L'introduction de plantes dans les Falkland a plusieurs origines. D'abord, la nécessité de nourrir le bétail a entrainé l'apport de fourrage et même la culture de certaines herbacées fourragères. A cela il faut ajouter la part non négligeable de l'introduction et le transport de graines par les animaux sauvages et d'élevages (dans les fourrures, poils, plumes etc.) et même les humains (via les vêtements, les scratch, dans la boue des chaussures, les bonnets, les matériaux de construction, les habitations etc). L'activité pastorale a eu de réels impacts sur la flore, les habitats et l'érosion des sols.

Le pâturage a un très fort impact sur les formations de Tussack (*Poa flabellata*). Les écosystèmes liés à cette plante sont essentiels sur l'archipel, plus de 50 espèces vertébrés et invertébrés en dépendent. Aujourd'hui, on estime que seulement 20% de la population originelle de Tussack est préservée. Ces habitats épargnés se trouvent principalement sur des îles où il n'y a jamais eu d'activité agricole, ni de présence humaine. Sur Hummock, une grande partie des habitats de Tussack a disparu.

En 2016, l'ONG « Antarctic Research Trust » (ART) a acquis l'île de Hummock dans le but d'en faire un sanctuaire pour la flore et la faune. Hummock est assez éloignée des autres îles habitées pour ne pas être accessible aux rats et, aucun rongeur n'y est présent. C'est une des raisons pour laquelle on y dénombre une grande diversité d'espèces d'oiseaux, par exemple : le Gorfou sauteur, le Cormorant impérial, le Troglodyte de Cobb, le Caracara austral, plusieurs espèces de Pétrels, le peu commun Faucon pèlerin et même un hibou. L'île a obtenu le statut de «Important Bird Area » (IBA FK06) octroyé par le « BirdLife International ».

Sur l'île de Hummock, nous espérons autant que possible, que la flore native et endémique retrouve sa place et ses habitats premiers. L'arrêt de l'activité pastorale a entrainé des changements et, des aires ont déjà été reconquises par la végétation originelle. En revanche, les sols déjà érodés et exposés aux vents sont très durs à re-conquérir par la végétation. De plus, le vent dépose des poussières de tourbe sur la végétation native, ce qui ne facilite pas le développement des plantes aux rythmes de croissances lents sous ces latitudes. Pour lutter contre l'érosion des sols, des pousses de Tussack sont plantées depuis 2018. Des actions qui permettent également de re-végétaliser l'île.

Plusieurs campagnes de terrain ont prouvé le fort intérêt floristique d'Hummock et sa valeur est incontestable dans une démarche de conservation. C'est une aire très intéressante, étagée en altitude et isolée qui en fait un réel refuge pour les plantes rares.

Le but de ce livre est de lister les espèces présentes sur l'île de Hummock. Évidemment, cette liste est non-exhaustive et peut évoluer dans le temps. L'approche, à quelques exceptions près, est de recenser toutes les espèces à fleurs. L'identification des algues, mousses et lichens requiert un savoir, des méthodes d'échantillonnages et de traitements que nous ne maitrisons pas, mais ce travail serait très intéressant à mener pour compléter la base de données de l'île.

Ci-dessous, nous présentons le déroulé des différentes missions de terrain permettant d'établir l'inventaire de la flore présente sur Hummock :

a) Visites de Robin Woods et al. en 1997, 2001 et 2006. Rapport écris : « Islands Visit Report. Report on visits to Rabbit, Hummock, Middle, Gid's and Green Islands in King George Bay in November 1997 and later visits to Hummock Island » Mars 2009, 19 pages.

b) Sally Poncet, avec ART, se rend régulièrement sur l'île entre 2008 et 2018, principalement dans le but de planter des pousses de Tussack. Sally connait également très bien la flore de l'île, elle a identifié un grand nombre d'espèce, c'est une référante essentielle pour les questions floristiques dans les Falkland.

c) Alizée Fouchard et Valentin Nivet-Mazerolles, avec ART, ont réalisé un travail de terrain entre décembre 2018 et janvier 2019 : cartographie des habitats, détermination d'espèces, photographies, mise en place de protocoles etc.

d) Klemens Pütz, Judith Wehmeyer et Simon Browning d'ART, rejoint par Sally Poncet ont travaillé sur Hummock de Novembre à Décembre 2019. Ils ont continué le travail de détermination et de photographie des espèces. De nouvelles espèces ont été identifiées.

Tous ces rapports de terrain ont permis de dresser des listes d'espèces. La majorité des espèces ont été identifiées plusieurs fois, sur différentes campagnes de terrain. Quelques espèces ont été vues seulement une ou deux fois.

Pendant les campagnes de terrain organisées par ART, toutes les photos ont été prises in-situ dans les habitats naturels. La flore environnante n'est pas occultée, aucune plante n'a été cueillie ni arrachée pour être photographiée sous un « bel angle ». Pour quelques espèces qui n'ont pas pu être photographiées sur le terrain, nous avons pris des photos de la base de données de ART (prises dans les Falkland mais pas nécessairement sur Hummock). Et, deux dessins réalisés par Katharina illustrent deux espèces.

Les noms scientifiques, les noms locaux et les noms en différentes langues sont listés pour chaque espèce. Beaucoup de plantes du Sud de l'Argentine et du Chili sont aussi présentes dans les Falkland, c'est pourquoi nous proposons les noms en espagnol. On remarque que la plupart des espèces introduites viennent du continent européen, certains noms en allemand et français existent pour celles-ci. Pour celles qui ne sont pas notées dans nos référents, nous avons déduit un nom commun d'après le nom scientifique, latin ou grec. Des espèces et/ou genres sont connus sous des noms populaires, souvent présents dans les jardins, dans ces cas nous avons utilisé les noms communs. Enfin, pour d'autres, nous avons simplement traduit les noms anglais.

Au 1er mai 2020, 78 espèces de 63 genres appartenant à 28 familles sont identifiées sur l'île de Hummock. 64 espèces sont natives des Falkland, et 6 d'entre elles sont endémiques (1 a presque le statut d'endémique) dont 3 ont un statut de protection. Par contre, 14 espèces listées sont introduites. La famille la plus représentée sur l'île est celle des Asteracées avec 17 espèces et est suivie des Poacées, 16 espèces. Au total, sur l'archipel des Falkland on compte 180 espèces de plantes vasculaires, dont 14 sont endémiques. Des plantes qui pourraient, lors de prochaines campagnes de terrain étoffer la liste d'Hummock.

Cette première version du livre est amenée à évoluer au fur et à mesure des missions de terrain. Si vous avez des remarques et/ou informations à apporter vous pouvez vous adresser aux auteurs via cette adresse mail : flora@kreissig.de . De même, nous restons à votre disposition si vous envisagez de vous rendre sur Hummock.

Katharina Kreissig, Ladenburg (D) et Alizée Fouchard, Annemasse (F), octobre 2020

## La flore de l'île de Hummock

**Hépatique de Bertero** (traduction du nom scientifique)
*Marchantia berteroana* Lehm. & Lindenb.

**Famille:** Marchantiaceae, famille des Hépatiques
**Taille :** 2 cm
**Floraison :** pas de fleur
**Couleur des fleurs :** pas de fleur
**Native/Endémique/Introduite :** native
**Statut** (légalement protégé, liste rouge des Falkland) : aucun, préoccupation mineure

**Caractéristiques :** *Marchantia berteroana* appartient à la famille des Hépatiques et est l'une des plus répandue. Dans les Falkland elle colonise les milieux humides, nus et les tourbières (créées à partir d'anciennes formations de Tussack). Les organes reproducteurs, reconnaissables de part leurs structures en forme de parapluies, sont différents suivant si ils sont mâles ou femelles.
*Marchantia berteroana* est aussi présente en Afrique du Sud, en Australie et en Nouvelle-Zélande. Quelques espèces du genre *Marchantia* contiennent des substances fongicides qui permettent de lutter contre les champignons des ongles et de la peau. Le nom de cette espèce fait référence au botaniste italien Giuseppe Luigi Bertero (1789-1831).

**Pinque de Magellan** (traduction du nom scientifique)
*Blechnum magellanicum Mett.*

**Famille:** Blechnaceae, famille des Fougères
**Taille :** 40 à 150 cm
**Floraison :** les spores sont mûrs en Mars/Avril
**Couleur des fleurs :** pas de fleur
**Native/Endémique/Introduite :** native
**Statut** (légalement protégé, liste rouge des Falkland) : aucun, préoccupation mineure

**Caractéristiques :** Cette grande fougère est très commune dans les Falkland. Elle a besoin d'un sol humide appréciant les fonds de vallées et les coteaux, elle croît par aggregation. Fougère plutôt solitaire, on la retrouve sur Hummock en association avec *Empetrum rubrum*. Les jeunes pousses sont rougeâtre-marron, puis la fougère prend des couleurs vert-foncé. Un seul pied peut atteindre un diamètre de 50 à 70 cm. *Luzuriaga marginata et Oxalis enneaphylla* apprécient la protection du *Blechnum magellanicum* pour se développer. Au Chili, cette fougère est surnommée « costilla de vaca », la côte de la vache.

## Pinque penna-marina

*Blechnum penna-marina* (Poir.) Kuhn

**Famille:** Blechnaceae, famille des Fougères
**Taille :** 6-15 cm
**Floraison :** les spores sont mûrs en Mars
**Couleur des fleurs :** pas de fleur
**Native/Endémique/Introduite :** native
**Statut** (légalement protégé, liste rouge des Falkland) : aucun, préoccupation mineure

**Caractéristiques** : D'après certaines sources, *Blechnum penna-marina* est la plus méridionale des petites fougères. Elle est verte tout l'année, très présente dans l'ensemble des Falkland et même dans les aires pâturées car le bétail la délaisse.
Les tapis de *Blechnum penna-marina* constituent un des habitats typiques des Falkland. Ces fougères abritent de nombreuses espèces comme les violettes, les *luzuriaga*, les *oxalis* etc. Cette fougère est présente de l'Amérique du Sud au Cap Horn, en Nouvelle Zélande, en Australie et sur un grand nombre d'îles sub-antarctiques. En Géorgie du Sud les « Blechnum Peaks » 640 m, ont été nommées d'après cette plante. Il existe deux sous-espèces *Blechnum penna-marina* subsp. *alpinum* (R.Br.) T.C.Chambers et P.A.Farrant et *Blechnum penna-marina* subsp. *penna-marina*.

**Fleur d'amandier** (traduction du nom anglais)
*Luzuriaga marginata* (Gaertn.) Benth. & Hook.f.

**Famille :** Alstroemeriaceae, assignées aux Liliacées
**Taille :** 4 cm
**Floraison :** Décembre à Février
**Couleur des fleurs :** blanches
**Native/Endémique/Introduite :** native
**Statut** (légalement protégé, liste rouge des Falkland) : aucun, préoccupation mineure

**Caractéristiques :** Le nom de cette plante vient de la douce odeur d'amande qu'elle dégage et de la forme de ses feuilles vertes de 6 à 18 mm.
La fleur est composée de 6 pétales banches. Les fruits et les graines sont d'un rouge profond d'environ 1 cm de diamètre et ne sont pas comestibles.
Cette plante apprécie les endroits ombragés, à l'abris des fougères ou sous les arbrisseaux. Elle est présente au sud du Chili et de l'Argentine. Dans les Falkland *Luzuriaga marginata* est haute de quelques centimètres (env. 5/10 cm), mais peut s'étendre sur des patchs de plus de deux mètres.

## Suéda d'Argentine

*Suaeda argentinensis* A. Soriano

**Famille :** Amaranthaceae, famille des Amarantes
**Taille :** 17 à 90 cm
**Floraison :** Janvier
**Couleur des fleurs :** vert jaunâtre
**Native/Endémique/Introduite :** native
**Statut** (légalement protégé, liste rouge des Falkland) : protégé, en danger

**Caractéristiques :** *Suaeda argentinensis* est très rare, sa distribution semble limitée à la partie Nord-Ouest des Falkland et localisée uniquement sur 6 îles non-pâturées, dans la Baie du Roi George (par ex. Hummock Island). En Argentine sa distribution est plutôt côtière, de Buenos Aires à la Terre de Feu et, elle peut-être la végétation dominante. Également présente au Chili, la plupart des espèces de *Suaeda* apprécient les sols humides et salés, comme les plages de sable, les bords de forêt de mangroves ou les sols des lacs salés.

## Ache australe - Céleri sauvage

*Apium australe* Thouars

**Famille :** Apiaceae, famille des Ombellifères
**Taille :** 5 à 71 cm
**Floraison :** Novembre à Mars
**Couleur des fleurs :** blanches
**Native/Endémique/Introduite :** native
**Statut** (légalement protégé, liste rouge des Falkland) : aucun, préoccupation mineure

**Caractéristiques :** Ce céleri, sauvage dans les Falkland, appartient à la famille des céleris sauvages (*Apium graveolens, Ache odorante).* Sur l'île de Hummock *Apium australe* est présent sur de nombreux sites, préférant les lieux humides et non-paturés. Le mot « céleri » fait référence au grec « selinon », une plante aux vertus médicinales, connue depuis longtemps et qui peut-être fortement allergène. Les formes cultivées se mangent comme des légumes, finement haché ou en assaisonnement de plats. Les tiges et les feuilles sont consommées en soupes et rarement crues car fortes en goût. Son huile essentielle a pour ingrédient principal l'apiol.

## Azorelle à une fleur

*Azorella monantha* Clos

**Famille:** Apiaceae, famille des Ombellifères
**Taille :** 10-50 cm
**Floraison :** Décembre à Janvier
**Couleur des fleurs :** jaunes
**Native/Endémique/Introduite :** native
**Statut** (légalement protégé, liste rouge des Falkland) : aucun, non concerné

**Caractéristiques :** Le genre *Azorella* est caractéristique des îles Falkland qui en compte 5 natives. *Azorella monantha* est une espèce rare, mais on la trouve en abondance sur les hauteurs des pentes d'Hummock.
D'après les dernières recherches, il existe environ 70 espèces de ces plantes en coussins en Amérique du Sud, en Nouvelle Zélande et sur les îles sub-antarctiques. Il y a un lien avec le genre *Bolax* (surtout *Bolax gummifera* dans les Falkland).

## ***Bolax gummifera***

*Bolax gummifera* (Lam.) Spreng.

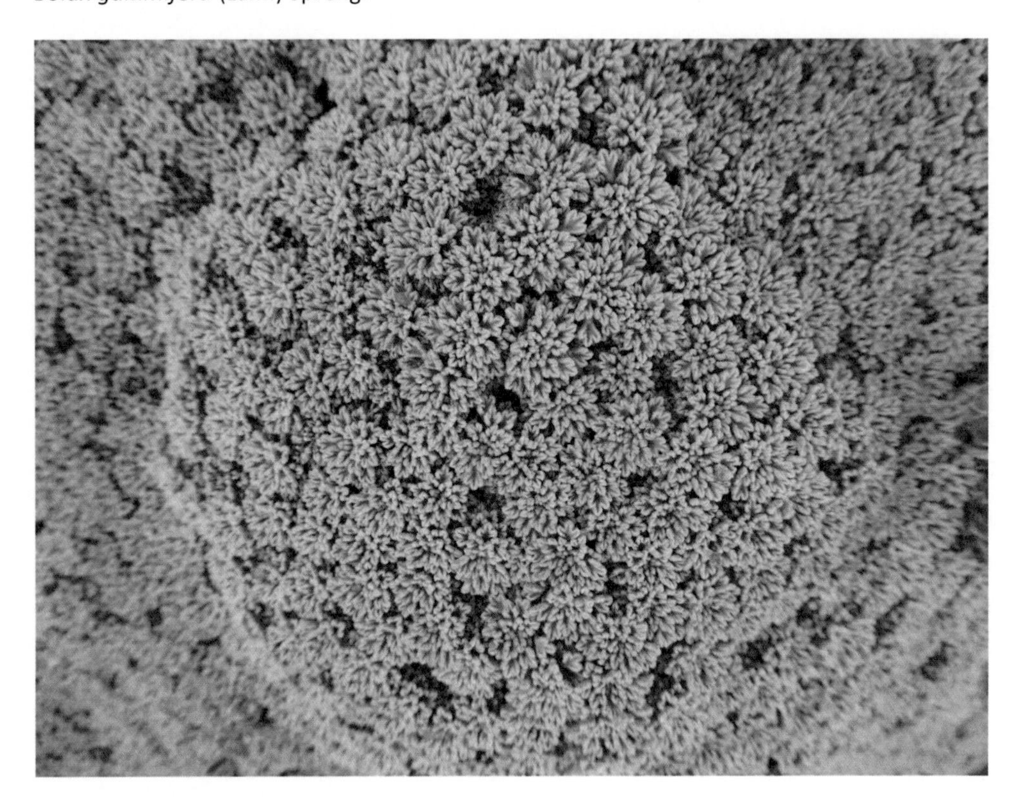

**Famille :** Apiaceae, famille des Ombellifères
**Taille :** 130 cm
**Floraison :** Octobre à Novembre
**Couleur des fleurs :** blanches
**Native/Endémique/Introduite :** native
**Statut** (légalement protégé, liste rouge des Falkland) : aucun, préoccupation mineure

**Caractéristiques :** Il existe 4-5 espèces de *Bolax* distinctes, présentent aussi au sud de l'Argentine et du Chili. Les coussins de *Bolax gummifera* sont étonnement durs et peuvent atteindre plus d'un mètre de haut. Il exulte un baume blanc et très parfumé qui va devenir dur et marron, fortifiant la structure coussin de *Bolax gummifera.* Il aurait été utilisé dans les Falkland comme un médicament, une crème antiseptique pour les coupures de la peau et les égratignures. Dans la famille des Apiaceae de nombreuses vertus sont connues et valorisées par des huiles essentielles (comme l'anis, l'aneth et le fenouil). Mais attention certaines espèces de cette famille de plantes sont aussi très toxiques, comme la Ciguë.

**Lilaeopsis des malouines** (traduction du nom latin)
*Lilaeopsis macloviana* (Gand.) A.W.Hill

**Famille :** Apiaceae, famille des Ombellifères
**Taille :** 10 à 30 cm
**Floraison :** Décembre à Février
**Couleur des fleurs :** blanches et jaunâtres au centre
**Native/Endémique/Introduite :** native
**Statut** (légalement protégé, liste rouge des Falkland) : aucun, préoccupation mineure

**Caractéristiques :** Typique du genre *Lilaeopsis* la plante est très verte, lumineuse, ronde, la tige est creuse et marquée de sillons. Les fleurs sont très petites. Elles apprécient l'eau et se développent souvent dans des trous d'eau fraiche. Quelqu'unes de ces espèces sont appréciées dans les aquarium car elles prospèrent rapidement et sans chauffage. Les espèces de *Lilaeopsis* sont mangées par des oies (*Neochen melanoptera* ou *Chloephaga melanoptera*), qui vivent dans les hautes vallées du sud des Andes. Dans les Falkland, la plante constitue une des bases du régime alimentaire de nombreux oiseaux marins (*Anas flavirostris, Cygnus melancoryphus*).

## Crépide corne-de-cerf

*Agoseris coronopifolia* (d'Urv.) K.L.Chambers

**Famille:** Asteraceae, famille des Composées
**Taille :** 1 à 12 cm
**Floraison :** Novembre à Janvier
**Couleur des fleurs :** jaunes
**Native/Endémique/Introduite :** native
**Statut** (légalement protégé, liste rouge des Falkland) : aucun, préoccupation mineure

**Caractéristiques :** Le genre *Agoseris* est très proche des Dandelions, Chicorées et les Cirses. On l'appelle même vulgairement le « faux Dandelion ». Il existe une douzaine d'espèces d'Agoseris, dont la plupart sont présentes en Amérique du Nord. Les feuilles sont en forme de rosettes proches du sol et couvertes de fins poils blancs. Dans les Falkland, cette plante apprécie les habitats côtiers, et sur Hummock elle pousse dans les sols secs et caillouteux des pentes nord.

**Buisson de Noël** (traduction du nom anglais)
*Baccharis tricuneata* (L.f.) Pers.

**Famille :** Asteraceae, famille des Composées
**Taille :** 8 à 40 cm
**Floraison:** Novembre à Mars
**Couleur des fleurs :** blanc crème
**Native/Endémique/Introduite :** native
**Statut** (légalement protégé, liste rouge des Falkland) : aucun, préoccupation mineure

**Caractéristiques :** Cet arbuste, porte en anglais le nom de « buisson de Noël » car les fleurs blanc-crème s'ouvrent aux alentours de Noël. Dans les Falkland, les branches remplacent le Gui, suivant ainsi les anciennes traditions anglo-saxonnes. Des pieds sont mâles et d'autres femelles (plante dioïque), l'ensemble de la plante peut atteindre plus d'un mètre de diamètre. Elle est commune dans les Falkland et en Amérique du Sud, elle se développe un peu partout mais apprécie particulièrement être au milieu des Camarine rouge. Quelques-unes des nombreuses espèces de *Baccharis* sont appréciées pour leur solide système racinaire et sont ainsi utilisées pour lutter contre l'érosion des sols dans les Andes d'Amérique du Sud.

## Vergerette à feuilles segmentées des Falkland

*Erigeron incertus* (d'Urv.) Skottsb.

**Famille :** Asteraceae, famille des Composées
**Taille :** 1 à 23 cm
**Floraison :** Novembre à Février
**Couleur des fleurs :** blanches et jaunes au centre
**Native/Endémique/Introduite :** endémique
**Statut** (légalement protégé, liste rouge des Falkland, liste rouge de l'UICN) : protégé, en danger

**Caractéristiques :** 6 ou 7 des 14 espèces endémiques des îles des Falkland sont classées comme espèces en danger, *Erigeron incertus* en fait partie. Les deux principales raisons de cette menace sont la dégradation de leur habitat par le pâturage et la faible population de cette espèce. *Erigeron incertus* se développe entre les arbustes nains comme les *Empetrum rubrum* mais aussi entre les petites fougères. Elle est assez facile à distinguer des autres plantes de la même espèce et peut se trouver en nombre sur les îles non-pâturées. Le genre *Erigeron* comprend plus de 400 espèces, la plupart vivent dans les zones tempérées de l'hémisphère nord.

## Cotonnière d'Amérique

*Gamochaeta americana* (Mill.) Wedd.

**Famille :** Asteraceae, famille des Composées
**Taille :** 10 cm
**Floraison :** Février
**Couleur des fleurs :** blanc jaunâtre
**Native/Endémique/Introduite :** native
**Statut** (légalement protégé, liste rouge des Falkland) : aucun, préoccupation mineure

**Caractéristiques :** Pendant longtemps la provenance de la Cotonnière d'Amérique a été discutée, native ou introduite. Aujourd'hui elle est considérée comme native des Falkland. *Gamochaeta americana* est très proche et très similaire de l'espèce *Gamochaeta spiciformis*, ce qui rend son identification très complexe et qui a probablement faussée certaines données. Aujourd'hui, *Gamochaeta americana* est la plus commune dans son espèce et même si elle est toujours considérée comme rare, elle est présente dans divers habitats, et même dans les jardins. Comme son nom scientifique l'indique on retrouve cette espèce en Amérique du Sud et Centrale et même sur les îles des Caraïbes. *Gnaphalium americanum* est un synonyme qui est couramment utilisé.

## Cotonnière des malouines

*Gamochaeta malvinensis* (H. Koyama) T.R.Dudley

**Famille :** Asteraceae, famille des Composées
**Taille :** 5 cm
**Floraison :** Décembre à Février
**Couleur des fleurs :** blanc jaunâtre
**Native/Endémique/Introduite :** native, presque endémique
**Statut** (légalement protégé, liste rouge des Falkland) : aucun, préoccupation mineure

**Caractéristiques :** La Cotonnière des Falkland est presque une espèce endémique des Falkland. En effet, elle est présente seulement sur deux autres îles de la Terre de Feu : l'île des États (Isla de los Estados) et la Péninsule de Mitre (Sud-est de la Grande Ile de la Terre de Feu). Il existe plus de 50 espèces de *Gamochaeta* présentes en Amérique du Sud et du Nord. Le genre *Gamochaeta* inclus aujourd'hui des espèces considérées avant comme le genre Gnaphalium. *Gnaphalium malvinense* ou *G. affinis* sont des synonymes notés dans d'anciennes littératures. Le nom allemand « Ruhrkraut » vient de la croyance que certaines espèces de ce genre ont des vertus pour lutter contre les dysenteries.

## Gnaphale blanc-jaunâtre - Cotonnière blanc-jaunâtre

*Helichrysum luteoalbum* (L.) Rchb.

**Famille :** Asteraceae, famille des Composées
**Taille :** 8 à 40 cm
**Floraison :** Décembre à Février
**Couleur des fleurs :** jaunes
**Native/Endémique/Introduite :** introduite
**Statut** (légalement protégé, liste rouge des Falkland) : aucun, aucun

**Caractéristiques** : Le genre de Gnaphale blanc-jaunâtre est toujours discuté, les options sont : *Helichrysum,* Gnaphalium, Pseudognaphalium etc. Cette plante est présente sur tous les continents, sauf l'Antarctique. La rosette ne faisant pas de fleur est parfois confondue avec l'Edelweiss. Le sud de la Suède est la limite de sa distribution la plus nord, elle y est appelée : *Vitnoppa*. Dans quelques pays d'Asie cette plante est utilisée en médecine car elle contient des substances anti-inflammatoires, anti-bactéries et fongicides. Elle préfère les lieux humides, pauvre en azote comme les sols sableux. Devenue rare en Europe, elle est protégée dans certaines aires comme en Picardie.

## Porcelle enracinée

*Hypochaeris radicata* L.

**Famille :** Asteraceae, famille des Composées
**Taille :** 30 cm
**Floraison :** Décembre à Avril
**Couleur des fleurs :** jaunes
**Native/Endémique/Introduite :** introduite
**Statut** (légalement protégé, liste rouge des Falkland) : aucun, aucun

**Caractéristiques :** La très commune Porcelle enracinée s'est dispersée depuis l'Europe et l'Asie. Dans les Falkland comme dans de nombreux endroits elle est introduite. Ses racines s'enfoncent profondément dans les sols sableux et argileux. Un liquide blanc s'écoule quant elle est coupée. En Grèce, elle est mangée. En faisant griller les racines, on obtient un substitue du café, mais attention, des sources soulignent que cette plante est toxique. A cause de ses fortes ressemblances avec le Dandelion (notamment de part son mode de dispersion par le vent des parachutes blancs) les deux espèces sont souvent confondues. Contrairement au Dandelion la tige d'*Hypochaeris radicata* n'est pas creuse.

## *Leptinella scariosa*

*Leptinella scariosa* Cass.

**Famille:** Asteraceae , famille des Composées
**Taille :** 2 cm
**Floraison :** Décembre à Janvier
**Couleur des fleurs :** jaunes
**Native/Endémique/Introduite :** native
**Statut** (légalement protégé, liste rouge des Falkland) : aucun, préoccupation mineure

**Caractéristiques :** L'aspect plumeux des feuilles est probablement la raison pour laquelle ce genre est nommé « Leptinella ». Dans la langue grec « lepton » signifie fin, petit. Les feuilles sont de couleur verte plutôt vives et les fleurs sont toutes petites et jaunes, elles semblent contenues dans des capsules rondes qui font penser à des petits boutons (nom anglais : buttonweed). Les *Leptinella* croissent très vite grâce à un système racinaire dense et efficace formant rapidement une large couverture végétale. Des tapis appréciés par les phoques et les otaries pour des moments de repos ou en temps de reproduction.

**Marguerite vanillée** (traduction du nom anglais)
*Leucheria suaveolens* (d'Urv.) Speg.

**Famille :** Asteraceae, famille des Composées
**Taille :** 10 à 40 cm
**Floraison :** Novembre à Mars
**Couleur des fleurs :** blanches et le centre est jaune pâle
**Native/Endémique/Introduite:** endémique
**Statut** (légalement protégé, liste rouge des Falkland) : aucun, préoccupation mineure

**Caractéristiques :** Cette petite fleur blanche de la famille des Asteracées, sent la vanille. Comme il est courant dans la famille des *Asteraceae,* les fleurs développent des petites boules de graines dispersées par le vent grace à des parachutes. *Leucheria suaveolens* est l'une des 14 plantes vasculaires endémiques des Falkland. Elle n'est pas considérée comme une espèce menacée mais sa population peut être mise à mal dans les zones pâturées. L'île d'Hummock peut donc aujourd'hui constituer une zone de refuge pour cette plante.

**Nassauvia côtière** (traduction du nom anglais)
*Nassauvia gaudichaudii* (Cass.) Cass. Ex Gaudich.

**Famille :** Asteraceae, famille des Composées
**Taille :** 8 cm
**Floraison :** Décembre à Mars
**Couleur des fleurs :** jaunâtre-blanc
**Native/Endémique/Introduite:** endémique
**Statut** (légalement protégé, liste rouge des Falkland) : aucun, préoccupation mineure

**Caractéristiques** : *Nassauvia gaudichaudii* est une espèce côtière, endémique des îles Falkland, elle est présente partout et n'est pas rare. Cette plante dégage une forte odeur entre le chocolat/vanille et est donc identifiable de loin. Elle prend la forme de tapis de coussins, préférant les sols rocheux ou sableux. Les fleurs ont 3 à 5 pétales de couleur crème. Il y a environ 30 espèces de Nassauvia en Argentine, au Chili, en Bolivie et dans les Falkland. Elle a probablement été identifiée par le botaniste français Charles Gaudichaud-Beaupré (1789-1854) lors d'un de ses nombreux voyages.

**Lavande des Falkland** (traduction du nom anglais)
*Perezia recurvata* Less.

**Famille :** Asteraceae, famille des Composées
**Taille :** 30 cm
**Floraison :** Décembre à Mars
**Couleur des fleurs :** violettes, bleues, blanches
**Native/Endémique/Introduite :** native
**Statut** (légalement protégé, liste rouge des Falkland) : aucun, préoccupation mineure

**Caractéristiques :** Jolie plante qui n'a aucun lien de parenté avec la lavande (*Lavandula angustifolia*), ni même l'odeur. C'est sans doute la couleur des fleurs d'environ 2,5 cm qui a inspiré le nom anglais. Les pétales recourbées ont données le nom de l'espèce, *P. recurvata*. Le genre *Perezia* comprend 30 à 35 espèces, quelqu'unes sont côtières (comme *Perezia recurvata),* mais la plupart sont en altitude dans les Andes. Certaines espèces sont utilisées en médecine traditionnelle en Amérique du Sud pour leurs propriétés sédatives ou anti-inflammatoires.

## Séneçon blanc, Chou de mer

*Senecio candidans* DC.

**Famille :** Asteraceae, famille des Composées
**Taille :** 100 cm
**Floraison :** Décembre à Février
**Couleur des fleurs :** jaunes
**Native/Endémique/Introduite :** native
**Statut** (légalement protégé, liste rouge des Falkland) : aucun, préoccupation mineure

**Caractéristiques :** Le Séneçon blanc est très commun sur les plages des Falkland, il peut se développer en large groupe. Il semble ne pas avoir très bon gout mais, très riche en vitamine C il a permis aux premiers navigateurs de lutter contre le scorbut. Les feuilles sont charnues, la tige est duveteuse, ses poils gris-blanc lui permettent de lutter contre les fortes radiations UV et réduisent le dessèchement causé par le vent. Ses graines sont appréciées par les canards et oiseaux (Pinsons, Chardonneret etc.).

## Séneçon du littoral

*Senecio littoralis* Gaudich.

**Famille:** Asteraceae, famille des Composées
**Taille :** 8 à 25 cm
**Floraison :** Novembre à Mars
**Couleur des fleurs :** jaunes
**Native/Endémique/Introduite :** endémique
**Statut** (légalement protégé, liste rouge des Falkland) : aucun, préoccupation mineure

**Caractéristiques :** Le laineux *Senecio littoralis* est l'une des 14 espèces de plantes endémiques des îles Falkland. Le genre *Senecio* regroupe plus de 1000 espèces réparties dans le monde et beaucoup d'entres elles sont endémiques dans leur zone d'implantation. Le nom *Senecio* (« senex » en latin pour vieil homme) est probablement dû au fait que lors de la dispersion des graines la plante se transforme en boule blanche avec de fins cheveux. *Senecio littoralis* grandit en touffes groupées, feuilles et tiges sont poilues de couleur argentée gris-vert.

## Séneçon des forêts - Séneçon des bois

*Senecio sylvaticus* L.

**Famille :** Asteraceae, famille des Composées
**Taille :** 30 à 70 cm
**Floraison :** Novembre à Mars
**Couleur des fleurs :** jaunes
**Native/Endémique/Introduite :** introduite
**Statut** (légalement protégé, liste rouge des Falkland) : aucun, aucun

**Caractéristiques :** Ce Séneçon est natif d'Europe, souvent présent aux bords des forêts, dans les clairières et les lieux débroussaillés. C'est une plante annuelle qui apprécie les endroits lumineux, humides, les sols acides et riches en azote. Le Séneçon des bois a été introduit dans les Falkland, où elle est présente dans divers habitats : les sols nus, entre les Tussack et les buissons nains, autour des villages et dans les jardins. Les fleurs sont comme contenues à l'intérieur des bractées, elles sont environ 40 et sont hermaphrodites. L'auto-polinisation est possible. Comme les autres Séneçon elle contient du poison.

## Séneçon lisse

*Senecio vaginatus* Hook. & Arn.

**Famille :** Asteraceae, famille des Composées
**Taille :** 12 à 25 cm
**Floraison :** Novembre à Mars
**Couleur des fleurs :** jaunes
**Native/Endémique /Introduite :** endémique
**Statut** (légalement protégé, liste rouge des Falkland) : aucun, préoccupation mineure

**Caractéristiques :** *Senecio vaginatus* est une espèce endémique des îles Falkland. Comparée à *Senecio littoralis*, elle pousse en tout petits groupes voire même en pieds isolés. Beaucoup d'espèces de *Senecio* contiennent du poison : le pyrrolizidine alcaloïdes. Il a des effets cancérigènes, dommageable pour le foie . Attention, à ne pas confondre les espèces de Senecio introduites et natives !

## Séneçon commun

*Senecio vulgaris* L.

**Famille :** Asteraceae, famille des Composées
**Taille :** 8-45 cm
**Floraison :** Septembre à Mai
**Couleur des fleurs :** jaunes
**Native/Endémique/Introduite :** introduite
**Statut** (légalement protégé, liste rouge des Falkland) : aucun, aucun

**Caractéristiques** : Le Séneçon commun s'est dispersé depuis l'Europe et l'Asie, on le retrouve partout et même sur le très éloigné archipel de Tristan da Cunha. Contrairement aux autres espèces de Séneçon, les fleurons sont souvent absents sur les fleurs. Deux sous-espèces sont connues, l'une d'elle est présente dans les Falkland : *Senecio vulgaris* L. subsp. *vulgaris*. Ce Séneçon renferme des alcaloïdes pyrrolizidiniques, une stratégie assez commune dans cette famille de plante pour repousser les herbivores. Cette substance est toxique pour le foie des humains et pour tous les animaux. Les racines sont profondément ancrées, plus de 50 cm, dans des sols riches en azote.

## Laiteron piquant - Laiteron rude

*Sonchus asper* (L.) Hill

**Famille :** Asteraceae, famille des Composées
**Taille :** 20 à 100 cm
**Floraison :** Décembre à Avril
**Couleur des fleur :** jaunes
**Native/Endémique/Introduite :** native
**Statut** (légalement protégé, liste rouge des Falkland) : aucun, aucun

**Caractéristiques :** Le Laiteron piquant vient d'Europe, d'Asie et d'Afrique. Telle une espèce pionnière elle est dispersée partout dans le monde et préfère les milieux humides. Dans les Falkland, elle pourrait devenir invasive. En effet, un seul pied peut produire plus de mille graines, disséminées par le vent et les animaux (en Europe, particulièrement les fourmis). Les fleurs sont similaires à celles des Dandelions. En Europe, elles sont pollinisées par les abeilles, les bourdons et les guêpes. Si la plante est cassée, elle sécrète un liquide blanc.
Les jeunes feuilles de *Sonchus asper (L.) Hill* sont comestibles, en salade par exemple. Elles sont également appréciées par le bétail. A Madère et dans les îles Canaries il y a plusieurs espèces endémiques du genre *Sonchus* comme « l'Arbre Dandelion de Madère », (*Sonchus fruticosus*).

## Corne-de-cerf didyme

*Lepidium didymum* L.

**Famille :** Brassicaceae, famille des Crucifères
**Taille :** 2 à 25 cm
**Floraison :** Décembre à Février
**Couleur des fleurs :** jaunâtres, blanches
**Native/Endémique/Introduite :** native
**Statut** (légalement protégé, liste rouge des Falkland) : aucun, préoccupation mineure

**Caractéristiques :** La Corne-de-cerf didyme (anciennement *Coronopus didymus)* est proche du Cresson des jardins (*Lepidium sativum*), mais contrairement à cette populaire herbe de cuisine, elle sent beaucoup moins bon. Telle une pionnière, elle est aujourd'hui dispersée dans le monde entier, et même dans les îles du Pacifique. Excepté dans les Falkland, la plante peut atteindre plus de 70 cm de haut. On la retrouve sur le bord des chemins, routes, champs, jardins où elle est considérée comme une mauvaise herbe. Il y'a encore peu *Lepidium didymum L.* était considérée dans les Falkland comme une plante introduite. Son origine est probablement l'Amérique du Sud.

**Orchidée Sabot de la vierge** (traduction du nom anglais)
*Calceolaria fothergillii* Aiton.

**Famille :** Calceolariaceae, famille des Calcéolariacées
**Taille :** 5 à 16 cm
**Floraison :** Novembre à Décembre
**Couleur des fleurs :** jaune-rouge, orange
**Native/Endémique/Introduite :** endémique
**Statut** (légalement protégé, liste rouge des Falkland) : aucun, préoccupation mineure

**Caractéristiques :** *Calceolaria* est le terme latin pour définir le cordonnier. La traduction du nom anglais donnerait le « sabot de la vierge ». Elle se trouve souvent en petits groupes au milieu des *Empetrum rubrum*. *Calceolaria fothergillii Aiton* est considérée comme une plante endémique des Falkland depuis 2004. Elle est d'autant plus répandue à l'Ouest de l'archipel. Il existe une forme de *Calceolaria fothergillii,* très rare, avec une fleur jaune. Ces plantes souffrent beaucoup du pâturage, les sites non pâturés sont de réels refuges pour elles. En Patagonie, *Calceolaria uniflora* a deux sous-espèces.

**Lobélie rampante** (traduction du nom scientifique)
*Lobelia pratiana* Gaudich. ex Lammers

**Famille :** Campanulaceae, famille des Astrales
**Taille:** 25 cm
**Floraison :** Décembre à Février
**Couleur des fleurs :** violettes à blanches, centre jaune
**Native/Endémique/Introduite :** native
**Statut** (légalement protégé, liste rouge des Falkland) : aucun, préoccupation mineure

**Caractéristiques :** Dans la littérature *Lobelia pratiana* est encore souvent nommée *Pratia repens*. La fleur de cette plante semble avoir perdu la moitié de ses pétales, la fleur est complète avec 5 pétales. Elle est zygomorphique (symétrie par miroir), ce qui est le cas pour la plupart des espèces de Lobélie. Cette forme est très souvent une adaptation face aux insectes pollinisateurs comme les abeilles. En Amérique du Sud le colibri est le principal pollinisateur. Le nom du genre Lobélie vient du physicien et botaniste français Mathias de l'Obel (Matthaeus Lobelius, 1538-1616).

## Valériane à feuilles d’orpin

*Valeriana sedifolia* d'Urv.

**Famille :** Caprifoliaceae, famille du Chèvrefeuille
**Taille :** 15 à 60 cm
**Floraison :** Novembre à Janvier
**Couleur des fleurs :** jaunes
**Native/Endémique/Introduite :** native
**Statut** (légalement protégé, liste rouge des Falkland) : aucun, préoccupation mineure

**Caractéristiques :** La Valériane à feuilles d’orpin est une plante rare des Falkland, en forme de coussins. Elle pousse seulement là où la compétition avec d’autres espèces est faible. *Valeriana sedifolia* apprécie les sols sableux entre les pierres et dans le creux des roches. Cette espèce a pris ce nom car ses feuilles font penser au genre *Sedum* (Orpin, famille des Crassulaceae). Elle est présente en Terre de Feu. Les Valérianes contiennent des alcalines et sont utilisées pour constituer des huiles essentielles. L’espèce la plus importante de ce genre est *Valeriana officinalis,* elle a des effets calmants.

## Céraiste des champs

*Cerastium arvense* L.

**Famille :** Caryophyllaceae, famille des Caryophyllacées
**Taille :** 5 à 25 cm
**Floraison :** Novembre à Février
**Couleur de fleurs :** blanches
**Native/Endémique/Introduite :** native
**Statut** (légalement protégé, liste rouge des Falkland) : aucun, préoccupation mineure

**Caractéristiques :** Cette espèce est très commune dans l'hémisphère nord et en Europe, il existe d'ailleurs de nombreuses sous espèces. Dans l'hémisphère sud, il n'est pas encore unanimement décidé de la considérer comme une plante native ou introduite. Pour de nombreux auteurs, elle est native des Falkland. Ses 5 pétales blanches, profondément découpées donnent l'impression qu'il y en a plus. Le centre de la plante est jaune. En Europe, elle est pollinisée par les insectes.

## Céraiste commun

*Cerastium fontanum* subsp. *vulgare*

**Famille :** Caryophyllaceae, famille des Caryophyllacées
**Taille :** 20 cm
**Floraison :** Novembre à Février
**Couleur des fleurs :** blanches
**Native/Endémique/Introduite :** introduite
**Statut** (légalement protégé, liste rouge des Falkland) : aucun, aucun

**Caractéristiques :** Cette espèce, très commune, présente sur tous les continents (sauf Antarctique) est une sous-espèce de *Cerastium fontanum*. Elle préfère les sols peu salins et pousse sur tous les terrains jusqu'en montagne à plus de 2000m. Pour l'identifier, on peut noter une caractéristique remarquable : les sépales verts sont aussi longs que les pétales blanches. Les pétales sont découpées plus profondément que celle du *Cerastium fontanum.*

## Coléanthe recourbée

*Colobanthus subulatus* (d'Urv.) Hook.f.

**Famille :** Caryophyllaceae, famille des Caryophyllacées
**Taille :** 5 à 11 cm
**Floraison :** Octobre à Janvier
**Couleur des fleurs :** blanches
**Native/Endémique/Introduite :** native
**Statut** (légalement protégé, liste rouge des Falkland) : aucun, préoccupation mineure

**Caractéristiques :** La Coléanthe recourbée est une plante de la famille des oeillets qui pousse très lentement. Ce coussin d'un vert très dense a été nommé d'après la pierre précieuse verte, l'émeraude. Elle est très proche de *Colobanthus quitensis,* l'une des deux espèces de plantes présentent en Antarctique. Son nom allemand fait référence aux poinçons, des épaisses aiguilles qui percent le cuir, utilisées par les cordonniers et les selliers.

## Sagine couchée

*Sagina procumbens* L.

**Famille :** Caryophyllaceae, famille des Caryophyllacées
**Taille :** 2 à 5 cm
**Floraison :** Décembre à Mars
**Couleur des fleurs :** blanches
**Native/Endémique/Introduite :** introduite
**Statut** (légalement protégé, liste rouge des Falkland) : aucun, aucun

**Caractéristiques :** La Sagine couchée est une petite plante, discrète mais très invasive, elle est présente partout dans les Falkland. Cette espèce est très connue en tant qu'invasive (mais pas considérée hautement invasive pour les Falkland), et pose de réels problèmes pour la flore des îles sub-antarctiques. Sur les îles Prince Edward et Marion (appartenant à l'Afrique du Sud), elle s'est dispersée de 100 à 300 mètres par an. Sur l'île de Gough (archipel de Tristan da Cunha) des conservateurs ont réussi, après de nombreux efforts, à contrôler et éradiquer *Sagina procumbens*. Les pieds ont été déterrés sur plus de 15 cm et le sol fouillé minutieusement.

**Crassule musquée** (traduction du nom scientifique)
*Crassula moschata* G.Forst.

**Famille :** Crassulaceae, famille des Crassulacées
**Taille :** 2 cm
**Floraison :** Décembre à Février
**Couleur des fleurs :** blanches ou roses
**Native/Endémique/Introduite :** native
**Statut** (légalement protégé, liste rouge des Falkland) : aucun, préoccupation mineure

**Caractéristiques :** *Crassula moschata* est une plante côtière, on la trouve sur les rochers toujours proche de l'océan. Les feuilles très épaisses sont vertes ou rougeâtres, de seulement quelques millimètres. Les fleurs sont elles aussi minuscules. La première description de cette espèce est publiée en 1787 par le naturaliste allemand Johann Forster (1754-1794). Avec son père Georg Forster (1729-1798) ils étaient des scientifiques embarqués pour la deuxième circumnavigation de James Cook.

**Carex sombre** (traduction du nom scientifique)
*Carex fuscula* d'Urv.

**Famille :** Cyperaceae, famille des Carex
**Taille :** 5 à 25 cm
**Floraison :** Novembre à Janvier
**Couleur des fleurs :** vert clair, marron clair
**Native/Endémique/Introduite :** native
**Statut** (légalement protégé, liste rouge des Falkland) : aucun, préoccupation mineure

**Caractéristiques :** *Carex fuscula* d'Urv. préfère les sols humides, voire même boueux, proche des eaux courantes et des eaux stagnantes. Il est présent partout dans les Falkland, en Argentine, au Brésil, au Chili et en Uruguay. Le genre des *Carex* comprend plus de 2000 espèces dans le monde, c'est l'un des genres de plantes à fleurs le plus important et il continue à se diversifier. Leurs habitats sont très divers, des milieux tempérés aux plus froids (même dans la Toundra arctique). Les tiges des Carex séchées sont traditionnellement utilisées par le peuple Sami pour isoler les chaussures, une méthode également utilisée par Carsten Egeberg Borchgrevink (1864-1934) lors de l'expedition britannique en Antarctique de 1898-1900 (The Southern Cross Expedition).

## Carex trifide - Carex trifoliole

*Carex trifida* Cav.

**Famille :** Cyperaceae, famille des Carex
**Taille :** 30 à 150 cm
**Floraison :** Décembre à Janvier
**Couleur des fleurs :** marron clair
**Native/Endémique/Introduite :** native
**Statut** (légalement protégé, liste rouge des Falkland) : aucun, préoccupation mineure

**Caractéristiques :** Ce Carex est une espèce native des îles Falkland, il apprécie les milieux côtiers, humides, légèrement acides mais sans eaux stagnantes. Il est également natif de l'île du Sud et des îles sub-antarctiques Néo-zélandaise. Ce Carex se développe particulièrement bien dans les zones de nidification des oiseaux marins et de repos des otaries et phoques. Parce qu'il pousse rapidement et est joli *Carex trifida* est présent dans les jardins, d'autant plus qu'il est considéré comme robuste et résistant aux hivers des basses latitudes. Dans les magasins de jardinage, on le trouve sous le nom de Carex bleu-vert de Nouvelle-Zélande ou l'herbe de Tataki. Tataki étant le nom Maori de cette plante.

## **Souchet penché - Scirpe incliné**

*Isolepis cernua* (Vahl) Roem. & Schult.

**Famille :** Cyperaceae, famille des Cypéracées
**Taille :** 2 à 13 cm
**Floraison :** Décembre à Mars
**Couleur des fleurs :** marrons, vertes
**Native/Endémique/Introduite :** native
**Statut** (légalement protégé, liste rouge des Falkland) : aucun, préoccupation mineure

**Caractéristiques :** Le Scirpe incliné est répandu et considéré comme natif dans beaucoup de pays du monde. Il apprécie les lieux humides, les oiseaux marins sont des agents de dispersion efficaces. 70 espèces sont dénombrées dans le genre *Isolepis* et sont souvent assimilées au genre *Scirpus.* Le Scirpe incliné se trouve encore sous le nom *Scirpus cernuus. Isolepis cernua*, en Europe est utilisé comme plante ornementale.

## Camarine rouge

*Empetrum rubrum* Vahl ex Willd.

**Famille:** Ericaceae, familles des Bruyères
**Taille :** 10 à 50 cm
**Floraison :** Octobre
**Couleur des fleurs :** les fleurs mâles sont rouges foncées, alors que les fleurs femelles sont plutôt marron-châtaigne.
**Native/Endémique/Introduite :** native
**Statut** (légalement protégé, liste rouge des Falkland) : aucun, préoccupation mineure

**Caractéristiques :** 10 à 30 % (statut de 2019) des bords de mer de l'île d'Hummock sont recouverts d'un dense tapis buissonnant et toujours vert d'*Empetrum rubrum*. La Camarine rouge est très commune dans les Falkland.
Les baies sont rouges, bien rondes, d'environ 5 millimètres et commencent à murir en Janvier. Les fruits sont dioïques : les fleurs mâles et les fleurs femelles sont sur des pieds différents. Les baies de la Camarine sont appréciées par de nombreux oiseaux comme les Ouettes de Magellan. Les fruits sont également appréciés en cuisine (confitures, gelés) mais sont aigres si elles ne sont pas cuisinées.

## Gaulthérie naine

*Gaultheria pumila* (L.f.) D.J. Middleton

**Famille:** Ericaceae, familles des Bruyères
**Taille :** 4 cm
**Floraison :** Novembre à Janvier
**Couleur des fleurs :** blanches
**Native/Endémique/Introduite :** native
**Statut** (légalement protégé, liste rouge des Falkland) : aucun, préoccupation mineure

**Caractéristiques :** *Gaultheria pumila* aime se développer au milieu des *Bolax gummifera*. Les fleurs blanches, en forme de cloches, sont entourées de sépales roses. Les baies, toutes rondes, rosâtre-rouge mesurent environ 12 mm de diamètre. Elles sont comestibles mais moins appréciées que les autres baies dans les Falkland. Le genre Gaultheria comprend 135 arbustes à l'état sauvage. Les espèces de l'hémisphère sud étaient avant regroupées sur le genre Pernettya et *Pernettya pumila* peut encore se trouver dans la littérature.

**Gunnère de Magellan** (traduction du nom scientifique)
*Gunnera magellanica* Lam.

**Famille :** Gunneraceae, famille des Gunnéracées
**Taille :** 3 à 20 cm
**Floraison :** Octobre à Décembre
**Couleur des fleurs :** mâle : rouge, femelle : rose
**Native/Endémique/Introduite :** native
**Statut** (légalement protégé, liste rouge des Falkland) : aucun, préoccupation mineure

**Caractéristiques :** Cette plante naine se distingue par ses grandes feuilles, épaisses et vertes foncées d'environ 6-8 cm de largeur à taille adulte. L'espèce Brésilienne *Gunnera manicata* a des très grandes feuilles pouvant atteindre 2 mètres de longueur et 3 m de largeur !
La forme des feuilles fait penser à celle de la rhubarbe, avec laquelle elle n'a aucun lien de parenté. Le fruit du *Gunnera magellanica* est toxique, d'où son nom espagnol : *frutilla del diablo*. *Gunnera magellanica* est présente au Chili, en Argentine, au Pérou et en Equateur jusqu'à 1500 m.

**Demoiselle blanche** (traduction du nom anglais)
*Olsynium filifolium* (Gaudich.) Goldblatt

**Famille :** Iridaceae, famille des Iris
**Taille :** 9 à 50 cm
**Floraison :** Octobre à Février
**Couleur des fleurs :** blanches, jaune au centre
**Native/Endémique/Introduite :** native
**Statut** (légalement protégé, liste rouge des Falkland) : aucun, préoccupation mineure

**Caractéristiques :** L'*Olsynium filifolium,* avec son agréable parfum, est la plante nationale des Falkland. C'est une des deux représentantes de la famille des Iris des îles Falkland (sans compter les plantes introduites). *Olsynium filifolium* n'est pas rare, mais sa population peut être mise à mal dans les zones pâturées. Le physicien et naturaliste de l'expédition de James Clark Ross, Joseph Dalton Hooker (1817-1911), le démontre déjà dans ses premiers écris. Hooker deviendra le directeur de la Royal Botanical Garden à Kew (Londres).

## Jonc de Scheuchzer

*Juncus scheuchzerioides* Gaudich.

**Famille :** Juncaceae, famille des Joncs
**Taille :** 2 à 18 cm
**Floraison:** Octobre à Janvier
**Couleur des fleurs :** vert clair et marron/rouge clair
**Native/Endémique/Introduite :** native
**Statut** (légalement protégé, liste rouge des Falkland) : aucun, préoccupation mineure

**Caractéristiques :** La couleur de la petite touffe de jonc peut varier du vert clair au rouge, la capsule d'environ 4mm, qui renferme des graines est brillante de couleur marron foncée. Comme beaucoup de joncs, cette espèce préfère les lieux humides. *Juncus scheuchzerioides* est présente sur plusieurs îles sub-antarctiques (Géorgie du Sud, îles Crozet, îles Prince Edward et Antipodes) et en Terre de Feu. Si vous ne voulez pas vous embourber avec votre véhicule, évitez les zones où les joncs sont présents ! Le nom de l'espèce fait référence au physicien et naturaliste de Zurich Johann Jakob Scheuchzer (1672-1733).

## Luzule queue-de-renard

*Luzula alopecurus* Desv.

**Famille :** Juncaceae, famille des Joncs
**Taille :** 10 à 30 cm
**Floraison :** Octobre à Décembre
**Couleur des fleurs :** rouge-marron profond
**Native/Endémique/Introduite :** native
**Statut** (légalement protégé, liste rouge des Falkland) : aucun, préoccupation mineure

**Caractéristiques :** La fleur velue a inspiré son nom scientifique (en grec alopex = renard, oura = queue). Il ya plus de 110 espèces de ce genre dans le monde. Elles ont leur préférence pour les sols secs et les creux des rochers, où la moisissure ne peut s'y développer. C'est une espèce proche du genre de *Juncus*. La *Luzula alopecurus* est aussi présente en Terre de Feu. Le botaniste français Auguste Desvaux (1784-1856) fait la première description en 1808, il deviendra plus tard le directeur du jardin d'Angers.

**Jonc à grandes feuilles** (traduction du nom scientifique)
*Marsippospermum grandiflorum* (L.f.) Hook.

**Famille :** Juncaceae, famille des Joncs
**Taille :** 16 à 30 cm
**Floraison :** Octobre à Décembre
**Couleur des fleurs :** rougâtre, marron
**Native/Endémique/Introduite :** native
**Statut** (légalement protégé, liste rouge des Falkland) : aucun, préoccupation mineure

**Caractéristiques :** *Marsippospermum grandiflorum à* de grandes et flamboyantes fleurs, les feuilles sont longues et se terminent par une pointe marron. Les Yaghan (peuple de la Terre de Feu) les utilisaient pour la confection de chaussures et autres ustensiles. Aujourd'hui on peut encore trouver des objets artisanaux faits avec ces joncs. Dans les Falkland, sa présence met en évidence des milieux humides, qu'il est bon d'éviter en voiture. Le genre Marsippospermum contient environ 4 espèces qui sont présentes en Amérique du Sud, dans les Falkland et en Nouvelle-Zélande.

**Jonc de Magellan** (traduction du nom scientifique)
*Rostkovia magellanica* (Lam.) Hook.f.

**Famille :** Juncaceae, famille des Joncs
**Taille :** 7 à 16 cm
**Floraison :** Octobre à Décembre
**Couleur des fleurs :** rougeâtre-marron
**Native/Endémique/Introduite :** native
**Statut** (légalement protégé, liste rouge des Falkland) : aucun, préoccupation mineure

**Caractéristiques :** Le genre Rostkovia tient son nom du botaniste et physicien Friedrich Wilhelm Rostkovius (1770-1848). Ce genre a seulement 2 espèces, *Rostkovia tristanensis* est une endémique des îles Tristan Da Cunha, alors que *Rostkovia magellanica* se trouve en Equateur, au sud du Chili et de l'Argentine, dans les îles Falkland, la Géorgie du Sud et la Nouvelle-Zélande. La fleur est petite, c'est d'ailleurs une de ses caractéristiques, les graines sont dans des capsules brillantes, marron foncées. Ce petit Jonc met en évidence les milieux humides, donc même conseil que pour *Juncus scheuchzerioides* évitez de vous en approcher avec votre véhicule !

## Calandrinia lustrée

*Calandrinia* cf. *nitida* (Ruiz & Pav.) DC.

**Famille :** Montiaceae, famille des Montiacées
**Taille :** env. 10 cm
**Floraison :** Novembre
**Couleur des fleurs :** jaunes
**Native/Endémique/Introduite :** native, probablement
**Statut** (légalement protégé, liste rouge des Falkland) : aucun, données insuffisantes

**Caractéristiques :** L'espèce Calandrinia pose toujours question dans les Falkland. Arthur Felton, en 1910, envoie un premier specimen de l'île de Westpoint au botaniste suédois Carl Skottsberg. Plus tard elle prendra le nom d'après Arthur Felton : *C. feltonii,* la fleur rose de Felton, et sera déterminée comme endémique. Aujourd'hui on pense plutôt que cette espèce est en fait *C. ciliata* (synonyme de *C. menziesii*) originaire de Californie et du Mexique. *C.* cf. *nitida* a probablement été introduite, mais elle est aujourd'hui considérée comme une espèce native. La photo de Calandrinia a été prise sur l'ile d'Hummock, et l'espèce est identifiée comme *C.* cf. nitida. Elle représente l'une des quelques populations présentes dans les Falkland, ce qui fait de l'île une aire importante pour la flore au niveau national (IPA Important Plant Area).

## Montie des fontaines

*Montia fontana* L.

**Famille :** Montiaceae, famille des Montiacées
**Taille :** 20 cm
**Floraison :** Novembre à Mars
**Couleur des fleurs :** blanches
**Native/Endémique/Introduite :** native
**Statut** (légalement protégé, liste rouge des Falkland) : aucun, préoccupation mineure

**Caractéristiques :** Cette plante des marais se trouve partout dans le monde, dans les milieux humides et les cours d'eau. Les 5 pétales sont toutes petites, env. 1-2 mm. Les fleurs sont hermaphrodites, elles s'auto-pollinisent, mais peuvent aussi être fécondées par les insectes lorsque les conditions sont favorables. Les graines, quand elles sont mûres, sont éjectées 2m plus loin. Cette plante contient des vitamines C, des omega 3 et des acides gras mais, parce qu'elle contient aussi des acides oxaliques, leur consommation doit être modérée. En Espagne, elle est consommée comme un légume.

**Myrtille nummulaire** (traduction du nom scientifique)
*Myrteola nummularia* (Lam.) O.Berg

**Famille :** Myrtaceae, famille des Myrtacées
**Taille :** 3 à 10 cm
**Floraison :** Novembre à Février
**Couleur des fleurs :** blanches et rose au centre
**Native/Endémique/Introduite :** native
**Statut** (légalement protégé, liste rouge des Falkland) : aucun, préoccupation mineure

**Caractéristiques** : Les petites feuilles rondes et toujours vertes sont utilisées comme substitut au thé, d'où son nom en anglais « teaberry ». Les baies blanches-rouges sont appréciées en patisserie et pour les desserts. Le botaniste français Philibert Commerson l'a décrite dans les années 1766-1768 lors de la circumnavigation qu'il effectuait avec Louis Antoine de Bougainville. En 1833 Charles Darwin compare cette plante de la Terre de Feu à une douce canneberge.

## Vinaigrette de Pernety

*Oxalis enneaphylla* Cav.

**Famille :** Oxalidaceae, famille des Oxalidacées
**Taille :** 25 cm
**Floraison :** Octobre à Février
**Couleur des fleurs :** blanches ou violettes
**Native/Endémique/Introduite :** native
**Statut** (légalement protégé, liste rouge des Falkland) : aucun, préoccupation mineure

**Caractéristiques :** Le botaniste Joseph Banks lors de la première circumnavigation de James Cook a écrit en 1769 que l' *Oxalis enneaphylla* a de réelles vertus pour lutter contre le scorbut. Charles Darwin écrira en décembre 1832 (pendant son voyage en Terre de Feu) que les feuilles et les fleurs sont comestibles et riches en vitamines C, le gout se rapprochant du citron frais. Toutefois, une consommation modérée de cette plante est recommandée car elle contient des acides oxaliques. Dans les Falkland elle accommode les salades et les boissons fraiches. Les fleurs sentent l'amande douce et sont principalement pollinisées par les papillons. La « Royal Horticultural Society (RHS) » lui a décerné le prix du « Award of Garden Merit (AGM) ».

**Callitriche antarctique** (traduction du nom scientifique)
*Callitriche antarctica* Engelm. Ex Hegel.

**Famille :** Plantaginaceae, famille des Plantaginacées
**Taille :** 4-40 cm
**Floraison :** Décembre à Février
**Couleur des fleurs :** jaunes
**Native/Endémique/Introduite :** native
**Statut** (légalement protégé, liste rouge des Falkland) : aucun, préoccupation mineure

**Caractéristiques :** En forme d'étoile, *Callitriche antarctica* s'étale sur un sol souvent très humide voire même dans l'eau (elle peut être complètement immergée). La *Callitriche* est présente partout dans les Falkland, en Terre de Feu et dans de nombreuses îles sub-antarctiques (Géorgie du Sud, Crozet, Kerguelen). Ses fruits sont très petits (1mm), de couleur jaune ou marron. En Europe, il y a plusieurs espèces de *Callitriche,* dont la très répandue dans nos étangs : la *Callitriche stagnalis*.

## Plantain barbu

*Plantago barbata* G.Forst.

**Famille :** Plantaginaceae, famille des Plantaginacées
**Taille :** 1 à 15 cm
**Floraison :** Octobre à Janvier
**Couleur des fleurs :** jaunâtres/blanches
**Native/Endémique/Introduite :** native
**Statut** (légalement protégé, liste rouge des Falkland) : aucun, préoccupation mineure

**Caractéristiques :** *Plantago barbata* est décrit pour la première fois par le naturaliste et ethnologue allemand Georg Forster (1754-1794) alors qu'il participait avec son père Johann Forster à la deuxième circumnavigation de James Cook. Au « Natural History Museum » de Londres, sont conservés des dessins du jeune Forster datés du 27.12.1774 (alors âgé de 20 ans). Il existe plusieurs sous-espèces de *Plantago barbata,* et une étude approfondit des spécimens des Falkland permettraient de les identifier précisément.

**Véronique elliptique** (traduction du nom scientifique)
*Veronica elliptica* G.Forst.

**Famille :** Plantaginaceae, famille des Plantaginacées
**Taille :** 300 cm
**Floraison :** Décembre à Février
**Couleur des fleurs :** blanches ou légèrement violettes
**Native/Endémique/Introduite :** native
**Statut** (légalement protégé, liste rouge des Falkland) : aucun, préoccupation mineure

**Caractéristiques :** Cet arbuste, vert toute l'année, est l'une des plantes les plus hautes de toutes les espèces des Falkland. Elle peut atteindre plus de 3 mètres dans les jardins. A l'état sauvage, sa taille atteint généralement 120-140 cm.
A Stanley, *Veronica elliptica* est facilement identifiable et reconnaissable, elle forme les haies des jardins et est très adaptable et rustique. Une des menaces pour cette plante est le surpâturage par les moutons. La plante a été renommée mais dans certains ouvrages on trouve encore l'ancien nom *Hebe elliptica*. Ce buisson pourrait être originaire de Nouvelle-Zélande.

## Agrostide stolonifère - Agrostis blanc

*Agrostis stolonifera* L.

**Famille :** Poaceae, famille des Graminées
**Taille :** 8 à 40 cm
**Floraison :** Décembre à Mars
**Couleur des fleurs :** vertes, blanchâtres, violettes
**Native/Endémique/Introduite :** introduite
**Statut** (légalement protégé, liste rouge des Falkland) : aucun, aucun

**Caractéristiques :** L'Agrostide stolonifère est originaire d'Europe et d'Asie, une graminée commune des prairies humides qui pousse même dans les ruisseaux et les eaux salées. Ses racines, très plates sont directement pliées sous la surface de la terre. Les jeunes pousses ont des formes intéressantes pour les sports de gazon (golf, tennis). Cette plante a été introduite dans de nombreux pays et est maintenant une pionnière dans le monde. Carl von Linné, en 1753, réalise la première description, elle est aujourd'hui considérée comme la plus commune du genre *Agrostis*. Elle a beaucoup de formes différentes et a de nombreux synonymes dans la littérature.

## Canche précoce

*Aira praecox* L.

**Famille :** Poaceae, famille des Graminées
**Taille :** 2 à 20 cm
**Floraison :** Novembre à Février
**Couleur des fleurs :** vertes lumineuses, marron clair
**Native/Endémique/Introduite :** introduite
**Statut** (légalement protégé, liste rouge des Falkland) : aucun, aucun

**Caractéristiques :** Les premières pousses aiment les sols pauvres en nutriments, sableux, secs et même acides. Originaire d'Europe, elle est aujourd'hui une pionnière dans de nombreux endroits et est même présente dans des lieux isolés comme en Nouvelle-Zélande. Au Chili et en Afrique du Sud elle fait partie des espèces invasives. *Aira praecox* est sur la liste des espèces invasives dans les Falkland. Alors qu'elle est commune au Nord et à l'Est de l'Allemagne, elle est considérée comme « vulnérable » dans plusieurs états allemands (par exemple à Bade-Wurtemberg, ou Rhénanie-Palatinat) et même « en danger » (en Bavarière, Sarre).

**Flouve parfumée** (traduction du nom en scientifique)
*Anthoxanthum redolens* (Vahl) P.Royen

**Famille:** Poaceae, famille des Graminées
**Taille :** 30 à 90 cm
**Floraison :** Octobre à Février
**Couleur des fleurs :** marron clair
**Native/Endémique/Introduite :** native
**Statut** (légalement protégé, liste rouge des Falkland) : aucun, préoccupation mineure

**Caractéristiques** : *Anthoxanthum redolens* exulte une odeur aromatique rappelant la cannelle. Cette espèce est encore souvent appelée *Hierochloe redolens*. Il fait penser au parfum de « l'herbe Mary » (*Anthoxanthum nitens*, synonyme de *Hierochloe odorata*) présent en Europe et en Asie (*hierós* = saint, chloé = herbe, *redolens* = odeur, odorante). Elle est très prisée par le bétail et donc soumise au pâturage. On la retrouve partout, de l'Amérique du Sud à l'Australie et même en Nouvelle-Zélande. Les Maori l'appellent « karetu », ils tissent avec des vêtements et des ceintures, utilisent son huile dans des parfums et les enfants l'inclus dans un jeu traditionnel « le topa ».

## Canche flexueuse

*Avenella flexuosa* (L.) Drejer

**Famille :** Poaceae, famille des Graminées
**Taille :** 20 à 100 cm
**Floraison :** Décembre à Février
**Couleur des fleurs :** vert clair, marron clair, rougeâtre
**Native/Endémique/Introduite :** native
**Statut** (légalement protégé, liste rouge des Falkland) : non, préoccupation mineure

**Caractéristiques :** La Canche flexueuse est présente dans le monde entier et est encore connue sous le nom de *Deschampsia flexuosa*. Elle a longtemps été considérée comme introduite, elle est aujourd'hui une plante native des Falkland. *Avenella flexuosa* évite les sols calcaires et préfère ceux plutôt secs, acides et pauvres en nutriments. Leurs racines peuvent s'enfoncer de plus d'un mètre dans le sol. Cette haute graminée pousse en touffes droites. Dans les jardins des zones tempérées, elle protège du soleil en créant de l'ombre. Les grandes tiges apportent une touche appréciée dans les bouquets de fleurs des fleuristes européens.

## Gynérium egmontiana, Herbe à pampa poilue

*Cortaderia egmontiana (Roem. & Schult.) M.Lyle ex Giussani, Soreng & Anton*

**Famille :** Poaceae, famille des Graminées
**Taille :** 15 à 65 cm
**Floraison :** Novembre à Février
**Couleur des fleurs :** marron clair
**Native/Endémique/Introduite :** native
**Statut** (légalement protégé, liste rouge des Falkland) : aucun, préoccupation mineure

**Caractéristiques :** *Cortaderia egmontiana* apprécie les sols acides. C'est l'espèce dominante dans les habitats typiques des Falkland. Les oiseaux nicheurs au sol et beaucoup d'invertébrés apprécient ces écosystèmes. Ces graminées sont pauvres en nutriments, le bétail et la faune sauvage préfèrent manger d'autres plantes. C'est une des raisons qui en fait une plante dominante. Dans les Falkland elle atteint seulement 40 cm et se trouve en touffes. *Cortaderia selloana,* proche de *Cortaderia egmontiana*, est en Europe une plante ornementale dans les jardins et parcs, pouvant atteindre plus de 3 mètres. Mais attention elle devient une plante invasive, notamment en France, en Espagne et au Portugal.

## Petite Canche

*Deschampsia parvula* (Hook.f.) É.Desv.

**Famille :** Poaceae, famille des Graminées
**Taille :** 15-21 cm
**Floraison :** Novembre à Janvier
**Couleur des fleurs :** vert clair, violacées
**Native/Endémique/Introduite :** native
**Statut** (légalement protégé, liste rouge des Falkland) : aucun, préoccupation mineure

**Caractéristiques :** La Petite canche est rare dans les Falkland et est plutôt localisée dans le sud-ouest de l'archipel. Elle est rare car peu apte à lutter contre la compétition des autres plantes. Son aire de répartition naturelle s'étend de l'Argentine au Chili et aux îles Falkland. Le genre *Deschampsia* fait référence au scientifique et chirurgien français Louis Auguste Deschamps de Pas (1765-1842). Un genre qui contient 40 espèces dispersées des zones tempérées aux polaires et spécialement dans l'hémisphère sud. *Deschampsia antarctica*, la canche antarctique, est l'une des deux espèces de plantes vasculaires présente en Antarctique.

**Elyme de Magellan, Froment de Magellan** (traduction du nom scientifique)
*Elymus magellanicus* É.Desv.

**Famille :** Poaceae, famille des Graminées
**Nom en espagnol :** -
**Taille :** 8 à 115 cm
**Floraison :** Décembre à Février
**Couleur des fleurs :** vert
**Native/Endémique/Introduite :** native
**Statut** (légalement protégé, liste rouge des Falkland) : aucun, préoccupation mineure

**Caractéristiques :** *Elymus magellanicus,* plante côtière qui pousse en touffes avec des tiges bleues argentées. Elle est beaucoup plus présente dans les zones peu ou pas pâturées. Cette graminée pourrait être beaucoup plus haute, comme d'autres espèces mangées par le bétail (*Anthoxanthum redolens, Poa alopecurus*). Sur une île, New Island, à Precipite Hill, un habitat y est représentatif. *Elymus magellanicus* ou *Poa alopecurus* peuvent être des alternatives intéressantes pour la re-végétalisation de certains espaces, en substitution au Tussack. En Europe, *Elymus magellanicus,* est une plante ornementale des jardins et des parcs.

## Vulpie queue d'écureuil

Festuca bromoides L.

**Famille :** Poaceae, famille des Graminées
**Taille :** 10 à 25 cm
**Floraison :** Novembre à Février
**Couleur des fleurs :** vert clair, violettes, marron clair
**Native/Endémique/Introduite :** introduite
**Statut** (légalement protégé, liste rouge des Falkland) : aucun, préoccupation mineure

**Caractéristiques :** Cette graminée pousse sur des sols pauvres en nutriments, sableux, secs. L'inflorescence peut atteindre 10 cm. Cette espèce à été nommée *Vulpia bromoides*. Les données terrain rapportent qu'elle est présente
« occasionnellement » dans les Falkland. La disparition de son habitat peut expliquer sa rareté. À cause de la perte de son habitat, elle est devenue rare dans ses aires d'origine : Europe, Afrique du Nord et Asie mineure. Elle est classée
« en danger » sur la liste rouge nationale de Suisse (2016) et « en danger critique» en Autriche tout comme en Allemagne.

## Fétuque contractée

*Festuca contracta* Kirk

**Famille :** Poaceae, Famille des Graminées
**Taille :** 6 à 40 cm
**Floraison :** Novembre à Janvier
**Couleur des fleurs :** violettes, vertes, marron clair
**Native/Endémique/Introduite :** native
**Statut** (légalement protégé, liste rouge des Falkland) : aucun, préoccupation mineure

**Caractéristiques :** La Fétuque contractée est présente sur beaucoup d'îles sub-antarctiques (la Géorgie du Sud, Kerguelen et les îles Macquaries) ainsi qu'en Terre de Feu. Elle pousse en touffes proches les unes des autres. Le genre *Festuca* compte plus de 630 espèces partout dans le monde. De nombreuses espèces ont été et sont encore introduites dans de nouvelles aires où elles sont finalement considérées comme natives. *Festuca rubra* et *Festuca ovina* sont même devenues ornementales.

**Fétuque de Magellan** (traduction du nom scientifique)
*Festuca magellanica* Lam.

**Famille :** Poaceae, famille des Graminées
**Taille :** 4 à 30 cm
**Floraison :** Novembre à Janvier
**Couleur des fleurs :** vertes, violettes
**Native/Endémique/Introduite :** native
**Statut** (légalement protégé, liste rouge des Falkland) : aucun, préoccupation mineure

**Caractéristiques :** *Festuca magellanica* pousse en denses touffes, en Argentine, au Chili et dans îles Falkland. *Festuca magellanica* peut être la plante dominante dans les prairies où les graminées forment un habitat singulier. Cette graminée, répandue sur tout le territoire des Falkland, aime les terrains en bord de mer, les pentes et pousse même entre les petits buissons de bruyères. Elle tolère aussi les sols acides et se développe donc entre les fougères (*Blechnum penna-marina*). La première description de cette espèce est réalisée par le biologiste français Jean-Baptiste de Lamarck (1744-1829).

## Houlque laineuse

*Holcus lanatus* L.

**Famille :** Poaceae, famille des Graminées
**Taille :** 20 à 100 cm
**Floraison :** Novembre à Avril
**Couleur des fleurs :** violettes
**Native/Endémique/Introduite :** introduite
**Statut** (légalement protégé, liste rouge des Falkland) : aucun, aucun

**Caractéristiques :** Les poils denses et doux sont caractéristiques de cette plante et son nom le prouve. C'est sans doute pour cela également que les animaux de la ferme, les délaissent dès qu'elles atteignent une certaine taille. Elle s'est dispersée depuis l'Europe et l'Asie dans toutes les aires tempérées du monde où elle est considérée comme invasive. Elle est notamment devenue un problème majeur dans le Parc National du Yosemite en Californie. La Houlque laineuse se satisfait de tous les milieux pour s'implanter. Elle constitue une source d'alimentation pour le papillon *Pararge aegeria.*

**Pâturin queue-de-renard**

*Poa alopecurus* (Gaudich.) Kunth

**Famille :** Poaceae, famille des Graminées
**Taille :**10 à 75 cm
**Floraison :** Septembre à Février
**Couleur des fleurs :** marron clair, violettes, vertes
**Native/Endémique/Introduite :** native
**Statut** (légalement protégé, liste rouge des Falkland) : aucun, préoccupation mineure

**Caractéristiques :** *Poa alopecurus* est la deuxième graminée la plus répandue des Falkland après le Tussack (*Poa flabellata*). Son fort enracinement aide au maintien des sols érodés et peut compléter la restauration des milieux avec la replantation de Tussack. Ce qui constitue également une alternative contre la dispersion des espèces introduites et invasives européennes (*Ammophila arenaria*, par exemple). *Ammophila arenaria* a été introduite pour stabiliser les dunes de sable, comme à Cap Pembroke près de Stanley. Ce Pâturin apprécie les milieux côtiers. *Poa alopecurus* se trouve près des côtes et sur les pentes des reliefs où il prend des teintes rose-rougeâtre. Au milieu du XIXe siècle *Poa alopecurus* était très répandue, la pâturage a fortement diminué sa population.

## Pâturin annuel
*Poa annua* L.

**Famille :** Poaceae, famille des Graminées
**Taille :** 6 à 16 cm
**Floraison :** Octobre à Janvier
**Couleur des fleurs :** blanches, vert clair
**Native/Endémique /Introduite :** introduite
**Statut** (légalement protégé, liste rouge des Falkland) : aucun, aucun

**Caractéristiques :** Le Pâturin annuel détient le record de l'espèce la plus répandue et la plus commune du monde. Même dans les latitudes très Sud des îles Falkland, sur île du Roi George (Shetlands du Sud), Géorgie du Sud mais aussi les îles sub-antarctiques Heard et Macquarie. Il est dispersé consciemment ou inconsciemment par les Hommes sur de longues distances. Dans les milieux riches en azote, cette graminée peut fleurir 2 fois par an. Elle s'adapte facilement, on la trouve partout, sur les chemins, entre les cailloux et même sur le bord des routes. Son vert lumineux, sa petite taille et ses courtes racines sont ses caractéristiques.

## Tussack

*Poa flabellata* (Lam.) Raspail

**Famille :** Poaceae, famille des Graminées
**Taille :** 250 cm
**Floraison :** Septembre à Décembre
**Couleur des fleurs:** vert clair
**Native/Endémique/Introduite :** native
**Statut** (légalement protégé, liste rouge des Falkland) : aucun, préoccupation mineure

**Caractéristiques :** Le Tussack est une plante dont l'écologie est très importante dans les îles Falkland. Plus de 45 espèces d'oiseaux en dépendent, pour nicher, se nourrir ou se reposer, tout comme des espèces d'otaries ou de phoques. C'est également un lieu de vie essentiel pour des invertébrés et certains sont même strictement dépendant des *Poa flabellata*. Des pieds peuvent atteindre plus de 3 mètres de haut et vivre plusieurs décennies, un record aurait été daté de plus de 200 ans ! Dans les Falkland, seulement 19% de la population originelle de Tussack est encore présente, suite à l'activité pastorale et l'élevage des moutons. Aujourd'hui, il y a des programmes de ré-implantation du Tussack notamment pour lutter contre l'assèchement et l'érosion des sols.

## Pâturin des prés

*Poa pratensis* L.

**Famille :** Poaceae, famille des Graminées
**Taille :** 10 à 60 cm
**Floraison :** Octobre à Février
**Couleur des fleurs :** vertes claires, violettes
**Native/Endémique/Introduite :** introduite
**Statut** (légalement protégé, liste rouge des Falkland) : aucun, aucun

**Caractéristiques :** Cette douce graminée est un fourrage semé dans les zones tempérées de l'hémisphère Nord. On la trouve introduite dans de nombreux pays du monde, dont les Falkland et les terres sub-antarctiques et antarctiques. Dans l'état du Kentucky au USA elle est surnommée « l'herbe bleue », parce qu'elle peut prendre des teintes bleuâtre-verte. Le genre de musique country « bluegrass » a été inspirée de cette plante.

## Trisète fausse fléole

*Trisetum phleoides* (d'Urv.) Kunth

**Famille :** Poaceae, famille des Graminées
**Taille :** 5 à 35 cm
**Floraison :** Novembre à Février
**Couleur des fleurs :** violette et jaunes foncées
**Native/Endémique/Introduite :** native
**Statut** (légalement protégé, liste rouge des Falkland) : aucun, préoccupation mineure

**Caractéristiques :** *Trisetum phleoides* se trouve en Argentine, au Chili et dans les Falkland. Le genre Trisetum comprend environ 75 espèces. *Trisetum spicatum* (très proche de *Trisetum phleoides*) est très commune en Europe et Asie, au Groenland et en Amérique du sud et du nord, en Australie et en Nouvelle-Zélande. Quelques spécimens de Trisetum ont été trouvés sur l'île de Sea Lion, peut-être *Trisetum spicatum*. La dispersion des graines se fait par le vent et les animaux. D'après ce qui est connu, cette graminée à une reproduction sexuelle et non végétative.

## Petite oseille, Rumex petite oseille, Oseille des brebis, Oseillette

*Rumex acetosella* L.

**Famille :** Polygonaceae, famille des Polygonacées
**Taille :** 5 à 30 cm
**Floraison :** Novembre à Février
**Couleur des fleurs :** rouges
**Native/Endémique/Introduite :** introduite
**Statut** (légalement protégé, liste rouge des Falkland) : aucun, aucun

**Caractéristiques :** La Petite oseille est originaire d'Europe et d'Asie. Le physicien et botaniste suisse Johannes Bauhin (1541-1613) l'a décrit dès 1592 pour l'état allemand de Baden-Württemberg. C'est une plante très répandue et elle est souvent considérée comme une mauvaise herbe. *Rumex acetosella* apprécie les sols acides, pauvres en nutriments. *Rumex acetosella* colonise facilement les terrains, comme après un incendie. Les feuilles en forme de pics sont comestibles. Dans les Falkland elle accompagne les salades, mais attention de l'acide oxalique est contenu dans ses feuilles, ce qui peut être toxique. Un spécimen de cette plante de couleur très claire a été trouvé sur l'île d'Hummock.

## Mouron à feuilles alternées

*Lysimachia buxifolia* Molina

**Famille :** Primulaceae, famille des Primvères
**Taille :** 1 à 2 cm
**Floraison :** Novembre à Février
**Couleur des fleurs :** roses à blanches
**Native/Endémique/Introduite :** native
**Statut** (légalement protégé, liste rouge des Falkland) : aucun, préoccupation mineure

**Caractéristiques :** Le Mouron à feuilles alternées à 5 pétales plus colorées vers l'intérieur, ce qui contraste fortement avec le jaune intense du pollen. Sur les îles Falkland, le pic de floraison est en Janvier, formant de larges tapis roses. Son nom fait référence à Lysimachus (360-281 B. C.), un commandant d'Alexandre le Grand. Le nom anglais « Pimpernel » est un dérivé du diminutif du mot poivre en latin, et peut-être traduit par « petit poivre ». *Anagallis alternifolia* est son ancien nom scientifique.

**Renoncule antarctique** (traduction du nom anglais)
*Ranunculus biternatus* Sm.

**Famille :** Ranunculaceae, famille des Renoncules
**Taille :** environ 3 à 5 cm
**Floraison :** Novembre à Janvier
**Couleur des fleurs :** jaunes
**Native/Endémique/Introduite :** native
**Statut** (légalement protégé, liste rouge des Falkland) : aucun, préoccupation mineure

**Caractéristiques :** Le genre Ranunculus, compte plus de 600 espèces dans le monde. Les renoncules, contiennent de la proto-anémonine, un acide toxique pour les humains et le bétail. Toucher ces plantes peut irriter la peau. Plusieurs espèces de Renoncules sont présentes dans les Falkland, le triple découpage des feuilles brillantes qui vont par paire a inspiré son nom scientifique. *Ranunculus biternatus* est présent au Chili, en Argentine et sur les îles sub-antarctiques. Comme beaucoup de renoncules, elles apprécient les milieux humides.

## Acaena luisante

*Acaena lucida* (Aiton) Vahl

**Famille :** Rosaceae, famille des Rosacées
**Taille :** 20 cm
**Floraison :** Novembre à Février
**Couleur des fleur :** rougeâtre vertes
**Native/Endémique/Introduite :** native
**Statut** (légalement protégé, liste rouge des Falkland) : aucun, préoccupation mineure

**Caractéristiques :** La native *Acaena lucida* se répand au sud du Chili, de l'Argentine (Terre de Feu) et dans l'archipel des Falkland. Comparée aux autres espèces d'Acaena des Falkland, celle-ci préfère les sols sableux. *Acaena lucida* serait capable de résister à des températures de -30°C. Elle est toujours verte et la pollinisation est assurée par les vents (anémochore). Le genre Acaena vient du Grec « *akaina* » qui veut dire épine. La première description de cette plante est faite par le botaniste Martin Vahl Henrichsen (1749-1804).

**Acaena de Magellan** (traduction du nom scientifique)
*Acaena magellanica* (Lam.) Vahl

**Famille :** Rosaceae, famille des Rosacées
**Taille :** 20-40 cm
**Floraison :** Novembre à Janvier
**Couleur des fleurs :** rougeâtres et vertes
**Native/Endémique/Introduite :** native
**Statut** (légalement protégé, liste rouge des Falkland) : aucun, préoccupation mineure

**Caractéristiques :** Les fruits de cette épineuse plante sont équipés de crochets qui vont s'agripper au plumage, à la fourrure et sur la peau des animaux, assurant ainsi une dispersion zoochore des graines, sur de longues distances. Cette espèce s'étend de l'Amérique du Sud aux îles sub-antarctiques.
Elles sont typiques des zones côtières sur l'île d'Hummock. Pour les agriculteurs et les éleveurs, l'*Acaena* est un veritable problème car les boules et les crochets, en se mettant dans le pelage des moutons, détériorent la qualité de la laine. Tous les « fieldworker » les redoutent aussi car les crochets s'insinuent dans les chaussettes, les polaires, les bonnets et démangent...beaucoup !

## Acaena à feuilles ovales

*Acaena ovalifolia* (Vahl) Ruiz & Pav.

**Famille :** Rosaceae, famille des Rosacées
**Taille :** 50 à 80 cm
**Floraison :** Décembre
**Couleur des fleurs :** rougeâtres-vertes
**Native/Endémique/Introduite :** native
**Statut** (légalement protégé, liste rouge des Falkland) : aucun, préoccupation mineure

**Caractéristiques :** Dans les îles Falkland, cette espèces est devenue rare, probablement à cause du pâturage (une étude sur l'impact du pâturage serait intéressante). Dans d'autres parties du monde elle est redoutée comme plante invasive ! En Irlande, *Acaena ovalifolia* pourrait avoir été introduite par l'import de laine de moutons depuis la Nouvelle-Zélande ! La laine servait comme accélérateur de pousse de la végétation et était étendue sur le sol, cette technique a depuis été abandonnée. En Ecosse elle semble prendre la place de la flore native (cf. Gillies Hill, Scotland), tout comme au Chili sur l'archipel Juan Fernandez.

## Framboise de patagonie

*Rubus geoides* Srn.

**Famille :** Rosaceae, famille des Ronces
**Taille :** 2 cm
**Floraison :** Novembre à Décembre
**Couleur des fleurs :** blanches
**Native/Endémique/Introduite :** native
**Statut** (légalement protégé, liste rouge des Falkland) : aucun, préoccupation mineure

**Caractéristiques :** Le fruit de *Rubus geoides* ressemble à une fraise mais, c'est bien une sorte de framboise. Son goût est un mixte de fraise et de framboise. Dans les représentations du « Hooker Icones Plantarum » (1842-43), elles sont décrites comme « très juteuse, transparentes et d'un goût délicieux ». *Rubus* est un nom en latin qui désigne les mûres, mais aujourd'hui de nombreuses variétés sont regroupées sous le terme *Rubus*. Le même genre désigne les croisements comme la mûre de Logan (hybride d'une ronce sauvage et d'un framboisier). Du point de vue botanique, *Rubus geoides* ne peut pas appartenir à la famille des fraises, car dans ce cas son genre serait *Fragaria*.

## Gaillet antarctique

*Galium antarcticum* Hook.f.

**Famille :** Rubiaceae, famille des Rubiacées
**Taille :** 5 cm
**Floraison :** Décembre à Janvier
**Couleur des fleurs :** blanches
**Native/Endémique/Introduite :** native
**Statut** (légalement protégé, liste rouge des Falkland) : aucun, préoccupation mineure

**Caractéristiques :** Le Gaillet antarctique se développe sur quelques centimètres de haut mais les tiges peuvent atteindre plus de 30 cm de long. *Galium antarcticum* est présent sur plusieurs îles sub-antarctiques (Géorgie du Sud, îles Crozet, Kerguelen etc.) ainsi qu'en Argentine et au Chili. Elle est présente sur l'île australienne de Macquarie mais nul part ailleurs en Australie, où elle est donc considérée comme « en danger critique ». *Galium odoratum*, est un parent eurasiatique, une plante connue pour ses vertus guérissantes et épicées, un gaillet sucré. Dans le passé, la présure obtenue de certain galium aidait à la production de fromage, le nom du genre en allemand s'en inspire ! (Lab = présure).

**Violette tachetée** (traduction du nom scientifique)
*Viola maculata* Cav.

**Famille :** Violaceae, famille des Violettes
**Taille :** 11 cm
**Floraison :** Novembre à janvier
**Couleur des fleurs** : jaunes
**Native/Endémique/Introduite :** native
**Statut** (légalement protégé, liste rouge des Falkland) : protégé, préoccupation mineure

**Caractéristiques :** Plus de 500 espèces connues de la famille des Violettes sont des Pensées, comme la subtile parfumée *Viola odorata*. Généralement, dans la famille des Violettes les fleurs dégagent une odeur sucrée, mais dans les Falkland, cette petite violette jaune est inodore. Sur Hummock *Viola maculata* pousse par pieds individuels ou en larges groupes. La Violette tachetée est probablement l'une des plantes hôte des larves puis des chenilles du papillon *Yramea cytheris* (aussi appelé *Issora cytheris cytheris*). Ce papillon a été observé sur l'île de Hummock et est surnommé « la Reine des Falklands ».

## Annexe

## Liste des espèces répertoriées sur l'île d'Hummock

| Nom scientifique | Rapports et documents communiqués par les personnes suivantes |
|---|---|
| *Acaena lucida* | Klemens Pütz et al. (2019), Katharina Kreissig (2019), Alizée Fouchard (2019), Sally Poncet (2008-2018), Robin Woods (1997, 2001, 2006) |
| *Acaena magellanica* | Klemens Pütz et al. (2019), Alizée Fouchard (2019), Sally Poncet (2008-2018) |
| *Acaena ovalifolia* | Sally Poncet (2008-2018), Robin Woods (1997, 2001, 2006) |
| *Agoseris coronopifolia* | Klemens Pütz et al. (2019) |
| *Agrostis stolonifera* | Klemens Pütz et al. (2019), Alizée Fouchard (2019), Sally Poncet (2008-2018), Robin Woods (2001) |
| *Aira praecox* | Klemens Pütz et al. (2019), Alizée Fouchard (2019), Sally Poncet (2008-2018), Robin Woods (1997, 2006) |
| *Anthoxanthum redolens* | Klemens Pütz et al. (2019), Alizée Fouchard (2019), Sally Poncet (2008-2018), Robin Woods (1997, 2001, 2006) |
| *Apium australe* | Klemens Pütz et al. (2019), Alizée Fouchard (2019), Sally Poncet (2008-2018), Robin Woods (1997, 2001, 2006) |
| *Avenella flexuosa* | Klemens Pütz et al. (2019), Sally Poncet (2008-2018), Robin Woods (1997, 2001, 2006) |
| *Azorella monantha* | Klemens Pütz et al. (2019), Alizée Fouchard (2019), Sally Poncet (2008-2018), Robin Woods (1997, 2001, 2006) |
| *Baccharis tricuneata* | Klemens Pütz et al. (2019), Katharina Kreissig (2019), Alizée Fouchard (2019), Sally Poncet (2008-2018), Robin Woods (1997, 2001, 2006) |
| *Blechnum magellanicum* | Klemens Pütz et al. (2019), Katharina Kreissig (2019), Alizée Fouchard (2019), Sally Poncet (2008-2018), Robin Woods (1997, 2001, 2006) |
| *Blechnum penna-marina* | Klemens Pütz et al. (2019), Katharina Kreissig (2019), Alizée Fouchard (2019), Sally Poncet (2008-2018), Robin Woods (1997, 2001, 2006) |
| *Bolax gummifera* | Klemens Pütz et al. (2019), Katharina Kreissig (2019), Alizée Fouchard (2019), Sally Poncet (2008-2018), Robin Woods (1997, 2006) |
| *Calandrinia* cf. *nitida* | Klemens Pütz et al. (2019), Alizée Fouchard (2019), Sally Poncet (2008-2018), Robin Woods (1997, 2001, 2006) |
| *Calceolaria fothergillii* | Klemens Pütz et al. (2019), Alizée Fouchard (2019), Sally Poncet (2008-2018), Robin Woods (1997, 2006) |
| *Callitriche antarctica* | Klemens Pütz et al. (2019), Alizée Fouchard (2019), Sally Poncet (2008-2018), Robin Woods (2001, 2006) |
| *Carex fuscula* | Robin Woods (2001) |

| Nom scientifique | Rapports et documents communiqués par les personnes suivantes |
|---|---|
| *Carex trifida* | Sally Poncet (2008-2018) |
| *Cerastium arvense* | Klemens Pütz et al. (2019), Alizée Fouchard (2019), Sally Poncet (2008-2018), Robin Woods (1997, 2006) |
| *Cerastium fontanum* subsp. *vulgare* | Klemens Pütz et al. (2019) |
| *Colobanthus subulatus* | Klemens Pütz et al. (2019), Sally Poncet (2008-2018), Robin Woods (1997, 2001, 2006) |
| *Cortaderia egmontiana* | Klemens Pütz et al. (2019), Sally Poncet (2008-2018) |
| *Crassula moschata* | Klemens Pütz et al. (2019), Alizée Fouchard (2019), Sally Poncet (2008-2018), Robin Woods (2001) |
| *Deschampsia parvula* | Klemens Pütz et al. (2019) |
| *Elymus magellanicus* | Klemens Pütz et al. (2019), Sally Poncet (2008-2018), Robin Woods (1997, 2001, 2006) |
| *Empetrum rubrum* | Klemens Pütz et al. (2019), Katharina Kreissig (2019), Alizée Fouchard (2019), Sally Poncet (2008-2018), Robin Woods (2001, 2006) |
| *Erigeron incertus* | Klemens Pütz et al. (2019), Katharina Kreissig (2019), Alizée Fouchard (2019), Sally Poncet (2008-2018) |
| *Festuca bromoides* | Robin Woods (2001) |
| *Festuca contracta* | Alizée Fouchard (2019), Sally Poncet (2008-2018), Robin Woods (1997, 2001) |
| *Festuca magellanica* | Klemens Pütz et al. (2019), Sally Poncet (2008-2018), Robin Woods (2006) |
| *Galium antarcticum* | Sally Poncet (2008-2018) |
| *Gamochaeta americana* | Sally Poncet (2008-2018) |
| *Gamochaeta malvinensis* | Klemens Pütz et al. (2019), Robin Woods (1997) |
| *Gaultheria pumila* | Klemens Pütz et al. (2019), Katharina Kreissig (2019), Alizée Fouchard (2019), Sally Poncet (2008-2018), Robin Woods (1997, 2001, 2006) |
| *Gunnera magellanica* | Klemens Pütz et al. (2019), Alizée Fouchard (2019), Sally Poncet (2008-2018), Robin Woods (1997, 2001, 2006) |
| *Helichrysum luteoalbum* | Sally Poncet (2008-2018), Robin Woods (2001) |
| *Holcus lanatus* | Klemens Pütz et al. (2019) |
| *Hypochaeris radicata* | Klemens Pütz et al. (2019) |
| *Isolepis cernua* | Klemens Pütz et al. (2019), Sally Poncet (2008-2018), Robin Woods (2001, 2006) |
| *Juncus scheuchzerioides* | Klemens Pütz et al. (2019), Alizée Fouchard (2019), Sally Poncet (2008-2018), Robin Woods (2001, 2006) |

| Nom scientifique | Rapports et documents communiqués par les personnes suivantes |
|---|---|
| *Lepidium didymum* | Sally Poncet (2008-2018), Robin Woods (1997, 2001, 2006) |
| *Leptinella scariosa* | Klemens Pütz et al. (2019), Alizée Fouchard (2019), Sally Poncet (2008-2018), Robin Woods (1997, 2006) |
| *Leucheria suaveolens* | Klemens Pütz et al. (2019), Katharina Kreissig (2019), Alizée Fouchard (2019), Sally Poncet (2008-2018) |
| *Lilaeopsis macloviana* | Klemens Pütz et al. (2019), Alizée Fouchard (2019), Sally Poncet (2008-2018), Robin Woods (2001, 2006) |
| *Lobelia pratiana* | Sally Poncet (2008-2018), Robin Woods (2001) |
| *Luzula alopecurus* | Klemens Pütz et al. (2019), Katharina Kreissig (2019), Alizée Fouchard (2019), Sally Poncet (2008-2018), Robin Woods (1997, 2001, 2006) |
| *Luzuriaga marginata* | Alizée Fouchard (2019), Katharina Kreissig (2019), Sally Poncet (2008-2018), Robin Woods (2006) |
| *Lysimachia buxifolia* | Klemens Pütz et al. (2019), Sally Poncet (2008-2018), Robin Woods (2001, 2006) |
| *Marchantia berteroana* | Klemens Pütz et al. (2019), Sally Poncet (2008-2018), Alizée Fouchard (2019) |
| *Marsippospermum grandiflorum* | Klemens Pütz et al. (2019), Sally Poncet (2008-2018) |
| *Montia fontana* | Alizée Fouchard (2019) |
| *Myrteola nummularia* | Klemens Pütz et al. (2019), Katharina Kreissig (2019), Alizée Fouchard (2019), Sally Poncet (2008-2018), Robin Woods (2006) |
| *Nassauvia gaudichaudii* | Klemens Pütz et al. (2019), Katharina Kreissig (2019), Alizée Fouchard (2019), Sally Poncet (2008-2018), Robin Woods (1997, 2001, 2006) |
| *Olsynium filifolium* | Klemens Pütz et al. (2019), Alizée Fouchard (2019), Sally Poncet (2008-2018), Robin Woods (2006) |
| *Oxalis enneaphylla* | Klemens Pütz et al. (2019), Katharina Kreissig (2019), Alizée Fouchard (2019), Sally Poncet (2008-2018), Robin Woods (1997, 2006) |
| *Perezia recurvata* | Klemens Pütz et al. (2019), Alizée Fouchard (2019), Sally Poncet (2008-2018), Robin Woods (1997) |
| *Plantago barbata* | Klemens Pütz et al. (2019), Sally Poncet (2008-2018), Robin Woods (2001) |
| *Poa alopecurus* | Klemens Pütz et al. (2019), Alizée Fouchard (2019), Sally Poncet (2008-2018), Robin Woods (1997, 2001, 2006) |
| *Poa annua* | Klemens Pütz et al. (2019), Alizée Fouchard (2019), Sally Poncet (2008-2018), Robin Woods (2001, 2006) |

| Nom scientifique | Rapports et documents communiqués par les personnes suivantes |
|---|---|
| *Poa flabellata* | Klemens Pütz et al. (2019), Katharina Kreissig (2019), Alizée Fouchard (2019), Sally Poncet (2008-2018), Robin Woods (1997, 2001, 2006) |
| *Poa pratensis* | Alizée Fouchard (2019) |
| *Ranunculus biternatus* | Klemens Pütz et al. (2019) |
| *Rostkovia magellanica* | Sally Poncet (2008-2018), Robin Woods (1997) |
| *Rubus geoides* | Alizée Fouchard (2019), Sally Poncet (2008-2018), Robin Woods (1997, 2001, 2006) |
| *Rumex acetosella* | Klemens Pütz et al. (2019), Katharina Kreissig (2019), Alizée Fouchard (2019), Sally Poncet (2008-2018), Robin Woods (1997, 2001, 2006) |
| *Sagina procumbens* | Klemens Pütz et al. (2019), Alizée Fouchard (2019), Sally Poncet (2008-2018), Robin Woods (2001) |
| *Senecio candidans* | Klemens Pütz et al. (2019) |
| *Senecio littoralis* | Klemens Pütz et al. (2019), Katharina Kreissig (2019), Alizée Fouchard (2019), Sally Poncet (2008-2018), Robin Woods (1997, 2006) |
| *Senecio sylvaticus* | Klemens Pütz et al. (2019), Katharina Kreissig (2019), Alizée Fouchard (2019), Sally Poncet (2008-2018), Robin Woods (2001, 2006) |
| *Senecio vaginatus* | Klemens Pütz et al. (2019), Katharina Kreissig (2019), Alizée Fouchard (2019), Sally Poncet (2008-2018), Robin Woods (2006) |
| *Senecio vulgaris* | Alizée Fouchard (2019), Sally Poncet (2008-2018), Robin Woods (1997) |
| *Sonchus asper* | Klemens Pütz et al. (2019), Robin Woods (2001) |
| *Suaeda argentinensis* | Klemens Pütz et al. (2019), Sally Poncet (2008-2018) |
| *Trisetum phleoides* | Klemens Pütz et al. (2019), Sally Poncet (2008-2018) |
| *Valeriana sedifolia* | Klemens Pütz et al. (2019), Sally Poncet (2008-2018) |
| *Veronica elliptica* | Klemens Pütz et al. (2019), Katharina Kreissig (2019), Alizée Fouchard (2019), Sally Poncet (2008-2018), Robin Woods (1997, 2001, 2006) |
| *Viola maculata* | Klemens Pütz et al. (2019), Alizée Fouchard (2019), Sally Poncet (2008-2018), Robin Woods (1997, 2001, 2006) |

## Liste des noms internationales

(Nom scientifique, Français, Anglais, Allemand, Espagnol)

| Nom scientifique | Nom en français | Nom en anglais | Nom en allemand | Nom en espagnol |
|---|---|---|---|---|
| *Acaena lucida* | Acaena luisante | Native yarrow | Glänzendes Stachelnüss-chen*** | Cadillo |
| *Acaena magellanica* | Acaena de Magellan | Prickly-burr | Magellan-Stachelnüss-chen*** | Cadillo, cepa de caballo de mallín, abrojo, acadillo |
| *Acaena ovalifolia* | Acaena à feuilles ovales | Oval-leaved prickly-burr | Ovalblättriges Stachelnüss-chen*** | Cadillo, trun, amor seco |
| *Agoseris coronopifolia* | Crépide polymorphe, Crépide corne-de-cerf | Fuegian hawk's-beard | Feuerland-Habichtsbart | - |
| *Agrostis stolonifera* | Agrostis blanc, Agrostide stolonifère | Creeping bent | Weißes Straußgras, Bentgras, Flecht-Straußgras | Hierba rastrera, hierba rastriega |
| *Anthoxanthum redolens* | Flouve parfumée | Cinnamon grass | Zimtgras* | - |
| *Apium australe* | Ache australe, Céleri sauvage | Wild celery | Wilder Sellerie* | Apio silvestre |
| *Avenella flexuosa* | Canche flexueuse | Wavy hair-grass | Draht-Schmiele, Geschlängelte Schmiele | Heno común |
| *Azorella monantha* | Azorelle à une fleur | Tufted azorella | Einblütige Azorella***, Andenpolster ** | Leña de piedra, llareta, yareta |
| *Baccharis tricuneata* | Buisson de Noël | Christmas-bush | Weihnachts-Kreuzstrauch* | Mozaiquillo |
| *Blechnum magellanicum* | Pinque de Magellan | Tall-fern | Magellan-Federrippen-farn*** | Costilla de vaca, palmilla |
| *Blechnum penna-marina* | Pinque penna-marina | Small-fern | Seefeder-rippenfarn*** | Punque, pluma del mar |

| Nom scientifique | Nom en français | Nom en anglais | Nom en allemand | Nom en espagnol |
|---|---|---|---|---|
| *Bolax gummifera* | *Bolax gummifera* | Balsam-bog | Balsampflanze * | Chareta, llaretilla, mogote |
| *Calceolaria fothergillii* | Orchidée sabot de la vierge | Lady's slipper | Fothergill-Pantoffel-blume*** | Zapatilla de la virgen, topa topa, capachito |
| *Callitriche antarctica* | Callitriche antarctique | Water-starwort | Antarktischer Wasserstern* | - |
| *Carex fuscula* | Carex sombre | Dusky sedge | Düstere Segge*** | - |
| *Carex trifida* | Carex trifide, Carex trifolioles | Sword-grass | Dreispaltige Segge*** | - |
| *Cerastium arvense* | Céraiste des champs | Field mouse-ear | Acker-Hornkraut | Cerastio |
| *Colobanthus subulatus* | Coléanthe recourbée | Emerald-bog | Pfriemen-Perlwurz*** | - |
| *Cortaderia egmontiana* | Gynérium egmontiana, Herbe de pampa poilue | Whitegrass | Behaartes Pampasgras *** | Cortadera chica |
| *Crassula moschata* | Crassule musquée | Native stonecrop | Moschus-Dickblatt*** | - |
| *Deschampsia parvula* | Petite canche | Dwarf hair-grass | Zwergschmiele *** | - |
| *Elymus magellanicus* | Elyme de Magellan, Froment de Magellan, Blé bleu | Fuegian couch | Magellan-Quecke***, Haargras, Haargerste, Blaugras | - |
| *Empetrum rubrum* | Camarine rouge | Diddle-dee | Rote Krähenbeere | Murtilla de Magallanes, brecillo, uvilla |
| *Erigeron incertus* | Vergerette à feuilles segmentées | Hairy daisy | Falkland-Berufkraut | Margarita pilosa |
| *Festuca bromoides* | Vulpie queue-d'écureuil | Squirreltail fescue | Trespenfuchs-schwingel | - |
| *Festuca contracta* | Fétuque contractée | Land-tussac | Zusammenge-zogener Schwingel*** | - |
| *Festuca magellanica* | Fétuque de Magellan | Fuegian fescue | Magellan-Schwingel*** | - |

| Nom scientifique | Nom en français | Nom en anglais | Nom en allemand | Nom en espagnol |
|---|---|---|---|---|
| *Galium antarcticum* | Gaillet antarctique | Antarctic bedstraw | Antarktisches Labkraut*** | Galio Antártico, galio subant-ártico, pega-pega |
| *Gamochaeta americana* | Cotonnière d'amérique | American cudweed | Amerikani-sches Ruhr-kraut*** | Lechuguilla, palomita |
| *Gamochaeta malvinensis* | Cotonnière des malouines | Falkland cudweed | Falkland-Ruhrkraut*** | - |
| *Gaultheria pumila* | Gaulthérie naine | Mountain-berry | Chilenische Zwergschein-beere** | Chaura enana |
| *Gunnera magellanica* | Gunnère de Magellan | Pigvine | Magellan-Mammutblatt *** | Frutilla del diablo |
| *Holcus lanatus* | Houlque laineuse | Yorkshire fog | Wolliges Honiggras | Holco lanudo, pasto miel |
| *Juncus scheuch-zerioides* | Jonc de Scheuchzer | Native rush | Scheuchzer-Binse*** | Junco |
| *Lepidium didymum* | Corne-de-cerf didyme | Lesser swine-cress | Zweiknotiger Krähenfuß | Mastuerzo de las Indias |
| *Leptinella scariosa* | *Leptinella scariosa* | Buttonweed | Fiederpolster ** | Pasto de chanco |
| *Leucheria suaveolens* | Marguerite vanillée | Vanilla daisy | Vanille-Aster* | - |
| *Lilaeopsis macloviana* | Lilaeopsis des malouines | Lilaeopsis | Argentinische Graspflanze** | Llach'u, istru |
| *Lobelia pratiana* | Lobélie rampante | Berry-lobelia | Kriechende Lobelie*** | Pratia |
| *Luzuriaga marginata* | Fleur d'amandier | Almond-flower | Mandelblume * | Quilineja, Luzuriaga |
| *Lysimachia buxifolia* | Mouron à feuilles alternées | Pimpernel | Buchsblättri-ger Gilbweide-rich*** | Pimpinela, doradilla de Chile |
| *Marchantia berteroana* | Hépatique de Bertero | Liverwort (umbrella liverwort) | Bertero-Lebermoos | Hepática |
| *Marsippo-spermum grandiflorum* | Jonc à grandes feuilles | Tall rush | Großblütige Binse*** | Junco de la Patagonia, junco de Magallanes, |

| Nom scientifique | Nom en français | Nom en anglais | Nom en allemand | Nom en espagnol |
|---|---|---|---|---|
| | | | | Junco de Tierra del Fuego |
| *Montia fontana* | Montie des fontaines | Blinks | Bach-Quellkraut | Regajo, boruja, maruja, moru-ja, coruja, pam plina, marusa |
| *Myrteola nummularia* | Myrtille nummulaire | Teaberry | Argentinische Myrte** | - |
| *Nassauvia gaudichaudii* | Nassauvie côtière | coastal nassauvia | Küsten-Nassauvie* | Nasauvia costera |
| *Olsynium filifolium* | Demoiselle blanche | Pale maiden | Blasse Maid* | - |
| *Oxalis enneaphylla* | Vinaigrette de Pernetty | Scurvygrass | Neunblättriger Sauerklee*** | Ojo de agua |
| *Perezia recurvata* | Lavande des falkland | Falkland lavender | Falkland-Lavendel* | Perezia azul, estrellita |
| *Plantago barbata* | Plantain barbu | Thrift plantain | Bärtiger Wegerich*** | Llantén peludo |
| *Poa annua* | Pâturin annuel | Annual meadow-grass | Einjähriges Rispengras | Poa anual, pastito de invierno |
| *Poa flabellata* | Tussack | Tussac | Tussockgras | Tussok, tusoc, tusac |
| *Poa pratensis* | Pâturin des prés | Smooth-stalked meadow-grass | Wiesen-Rispengras | Pasto azul de Kentucky, poa de los prados, grama de prado, poa común, zacate poa |
| *Ranunculus biternatus* | Renoncule antarctique | Antarctic buttercup | Antarktischer Hahnenfuß* | Botón de oro |
| *Rostkovia magellanica* | Jonc de Magellan | Short rush, brown rush | Magellan-Binse*** | - |
| *Rubus geoides* | Framboise de patagonie | Falkland strawberry | Falkland-Erdbeere* | Frambuesa patagónica, frutilla sylvestre |
| *Rumex acetosella* | Petite oseille, Oseille des brebis, Oseillette, | Sheep's sorrel | Kleiner Sauerampfer, Zwerg- | Acederilla, ace tosilla, vinagrillo |

| Nom scientifique | Nom en français | Nom en anglais | Nom en allemand | Nom en espagnol |
|---|---|---|---|---|
| | Rumex petite oseille | | Sauerampfer, Kleiner Ampfer | |
| *Sagina procumbens* | Sagine couchée | Procumbent pearlwort | Niederliegendes Mastkraut | - |
| *Senecio candidans* | Séneçon blanc, Chou de mer | Sea cabbage | Glänzend-weißes Greiskraut*** | - |
| *Senecio littoralis* | Séneçon littoral | Falklands woolly ragwort | Strand-Greiskraut*** | - |
| *Senecio sylvaticus* | Séneçon des forêts, Séneçon des bois | Heath groundsel | Wald-Greiskraut | - |
| *Senecio vaginatus* | Séneçon lisse | Falklands smooth ragwort | Scheiden-Greiskraut*** | - |
| *Sonchus asper* | Laiteron piquant, Laiteron rude | Prickly sow-thistle | Raue Gänsedistel | Carduguera, cerraja |
| *Suaeda argentinensis* | Suéda d'argentine | Shrubby seablite | Argentinische Salzmelde*** | Vidriera |
| *Trisetum phleoides* | Triète fausse fléole | Spiked oat-grass | Lieschgras-Goldhafer*** | Rabo de zorra |
| *Valeriana sedifolia* | Valériane à feuilles d'orpin | Valerian-bog | Sedum-blättriger Baldrian | - |
| *Veronica elliptica* | Véronique elliptique, Myrte d'Ouessant | Native boxwood | Strauch-veronika** | - |

*= Nom traduit de l'anglais à l'allemand
**= Nom donné lors des premières determinations
***= Nom traduit du nom scientifique à l'allemand

## Liste des noms internationales

(Français, nom scientifique, Anglais, Allemand, Espagnol)

| Nom en français | Nom scientifique | Nom en anglais | Nom en allemand | Nom en espagnol |
|---|---|---|---|---|
| Acaena à feuilles ovales | *Acaena ovalifolia* | Oval-leaved prickly-burr | Ovalblättriges Stachelnüsschen *** | Cadillo, trun, amor seco |
| Acaena de Magellan | *Acaena magellanica* | Prickly-burr | Magellan-Stachelnüsschen *** | Cadillo, cepa de caballo de mallín, abro-jo, acadillo |
| Acaena luisante | *Acaena lucida* | Native yarrow | Glänzendes Stachelnüss-chen*** | Cadillo |
| Ache australe, Céleri sauvage | *Apium australe* | Wild celery | Wilder Sellerie* | Apio silvestre |
| Agrostis blanc, Agrostide stolonifère | *Agrostis stolonifera* | Creeping bent | Weißes Straußgras, Bentgras, Flecht-Straußgras | Hierba rastrera, hierba rastriega |
| Azorelle à une fleur | *Azorella monantha* | Tufted azorella | Einblütige Azorella***, Andenpolster** | Leña de piedra, llareta, yareta |
| *Bolax gummifera* | *Bolax gummifera* | Balsam-bog | Balsampflanze* | Chareta, llaretilla, mogote |
| Buisson de Noël | *Baccharis tricuneata* | Christmas-bush | Weihnachts-Kreuzstrauch* | Mozaiquillo |
| Calandrinia lustrée | *Calandrinia* cf. *nitida* | Calandrinia | Glänzende Kalandrine | Chivitos |
| Callitriche antarctique | *Callitriche antarctica* | Water-starwort | Antarktischer Wasserstern* | - |
| Camarine rouge | *Empetrum rubrum* | Diddle-dee | Rote Krähenbeere | Murtilla de Magallanes, brecillo, uvilla |
| Canche flexueuse | *Avenella flexuosa* | Wavy hair-grass | Draht-Schmiele, Geschlängelte Schmiele | Heno común |
| Canche précoce | *Aira praecox* | Early hair-grass | Frühe Haferschmiele | - |
| Carex sombre | *Carex fuscula* | Dusky sedge | Düstere Segge*** | - |

| Nom en français | Nom scientifique | Nom en anglais | Nom en allemand | Nom en espagnol |
|---|---|---|---|---|
| Carex trifide, Carex trifolioles | Carex trifida | Sword-grass | Dreispaltige Segge*** | - |
| Céraiste commun | *Cerastium fontanum* subsp. *vulgare* | Common mouse-ear | Gewöhnliches Hornkraut | Merusa, oreja de ratón |
| Céraiste des champs | *Cerastium arvense* | Field mouse-ear | Acker-Hornkraut | Cerastio |
| Coléanthe recourbée | *Colobanthus subulatus* | Emerald-bog | Pfriemen-Perlwurz*** | - |
| Corne-de-cerf didyme | *Lepidium didymum* | Lesser swine-cress | Zweiknotiger Krähenfuß | Mastuerzo de las Indias |
| Cotonnière d'amérique | *Gamochaeta americana* | American cudweed | Amerikanisches Ruhrkraut*** | Lechuguilla, palomita |
| Cotonnière des malouines | *Gamochaeta malvinensis* | Falkland cudweed | Falkland-Ruhrkraut*** | - |
| Crassule musquée | *Crassula moschata* | Native stonecrop | Moschus-Dickblatt*** | - |
| Crépide polymorphe, Crépide corne-de-cerf | *Agoseris coronopifolia* | Fuegian hawk's-beard | Feuerland-Habichtsbart | - |
| Demoiselle blanche | *Olsynium filifolium* | Pale maiden | Blasse Maid* | - |
| Elyme de Magellan, Froment de Magellan, Blé bleu | *Elymus magellanicus* | Fuegian couch | Magellan-Quecke***, Haargras, Haargerste, Blaugras | - |
| Fétuque contractée | *Festuca contracta* | Land-tussac | Zusammengezoge-ner Schwingel*** | - |
| Fétuque de Magellan | *Festuca magellanica* | Fuegian fescue | Magellan-Schwingel*** | - |
| Fleur d'amandier | *Luzuriaga marginata* | Almond-flower | Mandelblume* | Quilineja, Luzuriaga |
| Flouve parfumée | *Anthoxan-thum redolens* | Cinnamon grass | Zimtgras* | - |
| Framboise de patagonie | *Rubus geoides* | Falkland strawberry | Falkland-Erdbeere* | Frambuesa patagónica, frutilla sylvestre |
| Gaillet antarctique | *Galium antarcticum* | Antarctic bedstraw | Antarktisches Labkraut*** | Galio Antártico, |

| Nom en français | Nom scientifique | Nom en anglais | Nom en allemand | Nom en espagnol |
|---|---|---|---|---|
| | | | | galio subantártico, pega-pega |
| Gaulthérie naine | *Gaultheria pumila* | Mountain-berry | Chilenische Zwerg-scheinbeere** | Chaura enana |
| Gnaphale blanc-jaunâtre, Cotonnière blanc-jaunâtre | *Helichrysum luteoalbum* | Jersey cudweed | Gelbweißes Ruhrkraut (oder Gelbweißes Scheinruhrkraut) | - |
| Gunnère de Magellan | *Gunnera magellanica* | Pigvine | Magellan-Mammutblatt*** | Frutilla del diablo |
| Gynérium egmontiana, Herbe de pampa poilue | *Cortaderia egmontiana* | Whitegrass | Behaartes Pampasgras*** | Cortadera chica |
| Hépatique de Bertero | *Marchantia berteroana* | Liverwort (umbrella liverwort) | Bertero-Lebermoos | Hepática |
| Houlque laineuse | *Holcus lanatus* | Yorkshire fog | Wolliges Honiggras | Holco lanudo, pasto miel |
| Jonc à grandes feuilles | *Marsipposper-mum grandiflorum* | Tall rush | Großblütige Binse*** | Junco de la Patagonia, junco de Magallanes, Junco de Tierra del Fuego |
| Jonc de Magellan | *Rostkovia magellanica* | Short rush, brown rush | Magellan-Binse*** | - |
| Jonc de Scheuchzer | *Juncus scheuch-zerioides* | Native rush | Scheuchzer-Binse*** | Junco |
| Laiteron piquant, Laiteron rude | *Sonchus asper* | Prickly sow-thistle | Raue Gänsedistel | Carduguera, cerraja |
| Lavande des falkland | *Perezia recurvata* | Falkland lavender | Falkland-Lavendel* | Perezia azul, estrellita |
| *Leptinella scariosa* | *Leptinella scariosa* | Buttonweed | Fiederpolster** | Pasto de chanco |

| Nom en français | Nom scientifique | Nom en anglais | Nom en allemand | Nom en espagnol |
|---|---|---|---|---|
| Lilaeopsis des malouines | *Lilaeopsis macloviana* | Lilaeopsis | Argentinische Graspflanze** | Llach'u, istru |
| Lobélie rampante | *Lobelia pratiana* | Berry-lobelia | Kriechende Lobelie*** | Pratia |
| Luzule queue-de-renard | *Luzula alopecurus* | Native wood-rush | Fuchsschwänzige Hainsimse*** | Luzula |
| Marguerite vanillée | *Leucheria suaveolens* | Vanilla daisy | Vanille-Aster* | - |
| Montie des fontaines | *Montia fontana* | Blinks | Bach-Quellkraut | Regajo, boru-ja, maruja, moruja, co-ruja, pampli-na, marusa |
| Mouron à feuilles alternées | *Lysimachia buxifolia* | Pimpernel | Buchsblättriger Gilbweiderich*** | Pimpinela, doradilla de Chile |
| Myrtille nummulaire | *Myrteola nummularia* | Teaberry | Argentinische Myrte** | - |
| Nassauvie côtière | *Nassauvia gaudichaudii* | coastal nassauvia | Küsten-Nassauvie* | Nasauvia costera |
| Orchidée sabot de la vierge | *Calceolaria fothergillii* | Lady's slipper | Fothergill-Pantoffelblume*** | Zapatilla de la virgen, topa topa, capachito |
| Pâturin annuel | *Poa annua* | Annual meadow-grass | Einjähriges Rispengras | Poa anual, pastito de invierno |
| Pâturin des prés | *Poa pratensis* | Smooth-stalked meadow-grass | Wiesen-Rispengras | Pasto azul de Kentucky, poa de los prados, gra-ma de pra-do, poa común, zaca-te poa |
| Pâturin queue-de-renard | *Poa alopecurus* | Bluegrass | Fuchsschwänziges Rispengras*** | - |
| Petite canche | *Deschampsia parvula* | Dwarf hair-grass | Zwergschmiele*** | - |
| Petite oseille, Oseille des brebis, | *Rumex acetosella* | Sheep's sorrel | Kleiner Sauer-ampfer, Zwerg- | Acederilla, acetosilla, vinagrillo |

| Nom en français | Nom scientifique | Nom en anglais | Nom en allemand | Nom en espagnol |
|---|---|---|---|---|
| Oseillette, Rumex petite oseille | | | Sauerampfer, Kleiner Ampfer | |
| Pinque de Magellan | *Blechnum magellanicum* | Tall-fern | Magellan-Feder-rippenfarn*** | Costilla de vaca, palmilla |
| Pinque penna-marina | *Blechnum penna-marina* | Small-fern | Seefederrippenfarn *** | Punque, pluma del mar |
| Plantain barbu | *Plantago barbata* | Thrift plantain | Bärtiger Wegerich*** | Llantén peludo |
| Porcelle enracinée | *Hypochaeris radicata* | Common cat's-ear | Gewöhnliches Ferkelkraut | Doquillas, pata de guanaco, renilla |
| Renoncule antarctique | *Ranunculus biternatus* | Antarctic buttercup | Antarktischer Hahnenfuß* | Botón de oro |
| Sagine couchée | *Sagina procumbens* | Procumbent pearlwort | Niederliegendes Mastkraut | - |
| Séneçon blanc, Chou de mer | *Senecio candidans* | Sea cabbage | Glänzendweißes Greiskraut*** | - |
| Séneçon commun | *Senecio vulgaris* | Groundsel | Gewöhnliches Greiskraut | Senecio común, flor amarilla, hierba cana, cineraria, yuyito |
| Séneçon des forêts, Séneçon des bois | *Senecio sylvaticus* | Heath groundsel | Wald-Greiskraut | - |
| Séneçon lisse | *Senecio vaginatus* | Falklands smooth ragwort | Scheiden-Greiskraut*** | - |
| Séneçon littoral | *Senecio littoralis* | Falklands woolly ragwort | Strand-Greiskraut*** | - |
| Souchet penché, Scirpe incliné | *Isolepis cernua* | Nodding club-rush | Frauenhaargras**, Nickende Moorbinse*** | Escirpillo cabizbajo |
| Suéda d'argentine | *Suaeda argentinensis* | Shrubby seablite | Argentinische Salzmelde*** | Vidriera |

| Nom en français | Nom scientifique | Nom en anglais | Nom en allemand | Nom en espagnol |
|---|---|---|---|---|
| Triète fausse fléole | *Trisetum phleoides* | Spiked oat-grass | Lieschgras-Goldhafer*** | Rabo de zorra |
| Tussack | *Poa flabellata* | Tussac | Tussockgras | Tussok, tusoc tusac |
| Valériane à feuilles d'orpin | *Valeriana sedifolia* | Valerian-bog | Sedum-blättriger Baldrian | - |
| Vergerette à feuilles segmentées | *Erigeron incertus* | Hairy daisy | Falkland-Berufkraut | Margarita pilosa |
| Véronique elliptique, Myrte d'Ouessant | *Veronica elliptica* | Native boxwood | Strauchveronika** | - |
| Vinaigrette de Pernetty | *Oxalis enneaphylla* | Scurvygrass | Neunblättriger Sauerklee*** | Ojo de agua |
| Violette tachetée | *Viola maculata* | Common violet | Gewöhnliches Veilchen* | Violeta amarilla |
| Vulpie queue-d'écureuil | *Festuca bromoides* | Squirreltail fescue | Trespenfuchs-schwingel | - |

*= Nom traduit de l'anglais à l'allemand

**= Nom donné lors des premières determinations

***= Nom traduit du nom scientifique à l'allemand

## Bibliographie complémentaire

Falklands Conservation (2019): Code of conduct - Falklands wild plants. 4 pages, https://admin.falklandsconservation.com/app/uploads/2020/01/Plant-Code-of-Conduct-FINAL-v1.pdf, Site Internet, Avril 2020.

Heller, T., Upson, R. & Lewis, R. (2019): Field Guide to the Plants of the Falkland Islands. Ed. Colin Clubbe, Royal Botanic Gardens, ISBN 978-1-84246-675-9, 404 pages.

IUCN (2020): The IUCN Red List of Threatened Species. Version 2020-1. https://www.iucnredlist.org, Site Internet, Avril 2020.

Liddle, A. (2007): Plants of the Falkland Islands. Falklands Conservation, ISBN 978-0-9538371-9-9, 95 pages.

Pütz, K., Lüthi, B. & Reinke-Kunze, C. (2009): Tierwelt der Antarktis und Subantarktis. Antarctic Research Trust, 2. Edition 2014, ISBN 978-3-033-01791-7, 160 pages.

Upson, R. (2012): Identification guide to globally and nationally threatened vascular plants of the Falkland Islands. Falklands Conservation, Kew Royal Botanic Gardens, OTEP (United Kingdom Overseas Territories Environment Programme), 27 pages, https://admin.falklandsconservation.com/app/uploads/2020/01/ADDID_guide_FI_Red_List_plants_final_RU2012.pdf, Site Internet, Avril 2020.

Upson, R. (2012): Important Plant Areas of the Falklands Islands. Report, Falklands Conservation, 80 pages, https://admin.falklandsconservation.com/app/uploads/2019/12/Important-Plant-Areas-of-the-Falkland-Islands.pdf, Site Internet, Avril 2020.

Upson, R. & Lewis, R. (2014): Updated vascular plant checklist and atlas for the Falkland Islands. Report to Falklands Conservation, 225 pages, https://admin.falklandsconservation.com/app/uploads/2019/01/FI_CHECKLISTATLAS_UpsonLewis2014.pdf, Site Internet, Avril 2020.

Woods, R.W. (2000): Flowering Plants of the Falkland Islands. Falklands Conservation, London. ISBN 0-9538371-0-6, 108 pages.

## Bibliographie


Alpine Garden Society Plant Encyclopedia. Alpine Garden Society. Pershore, Worcestershire, U.K.: http://encyclopaedia.alpinegardensociety.net, Site Internet, Avril 2020, sur *Perezia recurvata*.

Baird, G. I. (1996): The Systematics of *Agoseris* (Asteraceae: Lactuceae). Ph.D. dissertation. University of Texas. Résumé sur : http://www.efloras.org/florataxon.aspx?flora_id=1&taxon_id=100829, Site Internet, Avril 2020, sur *Agoseris coronopifolia*.

Balslev, H. (1979): On the distribution of *Rostkovia magellanica* (Juncaceae), a species newly rediscovered in Ecuador. Brittonia, 31 (2), 1979, pages 243-247.

Barthélémy, D., Brion, C. & Puntieri, J. (2015): Guide illustré de la flore de Patagonie. IRD Éditions. Institut de recherches pour le développement. Marseille. 239 pages. ISBN 978-2-7099-1873-2.

Belov, M. (2005-2012): Chileflora. Plantes du Chili. http://www.chileflora.com/Florachilena/FloraGerman/HighResPages/GH2240.htm, Site Internet, Avril 2020, sur *Marsippospermum grandiflorum*.

Bodmin, K.A., Champion, P.D. & James, T. (2017): New Zealand rushes: field identification guide - fact sheets. 73 pages: https://niwa.co.nz/gallery/new-zealand-rushes-juncus-field-identification-guide, Site Internet, Avril 2020, sur *Juncus scheuchzerioides*.

British Antarctic Survey (2015): Antarctica - Plants. Cambridge, U. K. https://www.bas.ac.uk/about/antarctica/wildlife/plants/, Site Internet, Avril 2020,.

Burwick, J. & Sao, S. (2017): Yaghan descendent Jose German González Calderon. Anasazi Racing. https://anasaziracing.blogspot.com/2017/12/yaghan-descendent-jose-german-gonzalez.html, Site Internet, Avril 2020, sur *Marsippospermum grandiflorum*.

Castroviejo, S. (2008): Flora ibérica: Cyperaceae-pontederiaceae. Consejo Superior de Investigaciones Cientificas, 472 Seiten, ISBN 978-8400086244, Site Internet, Avril 2020, sur *Isolepis cernua*.

Clayton, W.D., Vorontsova, M.S., Harman, K.T. & Williamson, H. (2020): GrassBase - The Online World Grass Flora. http://www.kew.org/data/grasses-db.html, Site Internet, Avril 2020, sur *Deschampsia parvula*.

Clifford, H. T. & Bostock, P.D. (2007): Etymological Dictionary of Grasses. ISBN 978-3-540-38432-8, 332 pages.

Cooper, J., Cuthbert, R. J., Gremmen, N. J. M., Ryan, P. J. & Shaw, J. D. (2011): Earth, fire and water: applying novel techniques to eradicate the invasive plant, procumbent pearlwort *Sagina procumbens*, on Gough Island, a World Heritage Site in the South Atlantic. In: Veitch, C. R., Clout, M. N. & Towns, D. R. (eds.) 2011. Island invasives: eradication and management. IUCN, Gland, Switzerland, pages 162-165.

Davies, T. H. & McAdam, J. H. (1989): Wild Flowers of the Falkland Islands. Falkland Islands Trust, Bluntisham Books, ISBN 1-871999-00-6, 48 pages.

Devlin, Z.: Wildflowers of Ireland. http://www.wildflowersofireland.net, Site Internet, Avril 2020, sur *Acaena ovalifolia*.

Dietrich, F. G. (1838): Vollständiges Lexicon der Gärtnerei und Botanik oder alphabetische Beschreibung vom Bau, Wartung und Nutzen aller in- und ausländischen, ökonomischen, officinellen und zur Zierde dienenden Gewächse: Neu entdeckte Pflanzen ; Bd. 9, Tmesipteris bis Zymum und Anhang oder des ganzen Werkes 29r Band, Band 30. Verlag Gädicke, 479 pages, Site Internet, Avril 2020, sur *Valeriana sedifolia*.

Ducket, J. G., Russel, S., Upson, R. & Tangney, R. (2012): Lower plants inventory and conservation in the Falkland Islands: bryophyte reconnaissance and collection expedition. FieldBryology 106: 32-42.

Esmail Al-Snafi, A. (2019): The medical benefit of *Gnaphalium luteoalbum* - a review. IOSR Journal of Pharmacy, 2019, Volume 9, issue 5, series I, pages 40-44.

Falklands Conservation (2019): Code of conduct - Falklands wild plants. 4 pages, https://www.falklandsconservation.com/downloads/, Site Internet, Avril 2020,.

Ferreyra, M., Ezcurra, C. & Clayton, S. (2006): Flores de Alta Montaña de los Andes Patagónicos: Guía para el reconocimiento de las principales especies de plantas vasculares altoandinas.1 Edición – Buenos Aires: L.O.L.A. ISBN 978-9-50972-577-5, 240 pages, https://sib.gob.ar/especies/Bolax-gummifera, Site Internet, Avril 2020, sur *Bolax gummifera*.

FIG Environmental Planning Department (2018): Falkland Islands ecoregions, habitats, species and sites strategy. 2016-2020, 9 pages, https://www.fig.gov.fk/policy/downloads#reports, Site Internet, Avril 2020.

Fischer, Manfred A. (2001): Wozu deutsche Pflanzennamen ? Neilreichia 1: 181-232.

Fitzgerald, N. (2019): How I stumbled on a lost plant just north of Antarctica. The Conversation. The Conversation Trust (UK) Limited, London. https://theconversation.com/how-i-stumbled-on-a-lost-plant-just-north-of-antarctica-115631, Site Internet, Avril 2020, sur *Galium antarcticum*.

FloraWeb: Online-Informationsangebot des Bundesamtes für Naturschutz (BfN) über die wildwachsenden Pflanzenarten, Pflanzengesellschaften und die natürliche Vegetation Deutschlands. Aktuelle Bewertungen der Roten Liste nach Metzing et. al. 2018, http://www.floraweb.de, Site Internet, Avril 2020, sur *Apium graveolens* L. et *Aira praecox*.

Gaißmayer (2020): *Elymus magellanicus* – Magellan-Blaugras, Staudengärtnerei Gaißmayer, https://www.gaissmayer.de, Site Internet, Avril 2020 sur *Elymus magellanicus*.

Genaust, H. (2017): Etymologisches Wörterbuch der botanischen Pflanzennamen. Nikol, 704 Seiten, ISBN 978-3868201499, Site Internet, Avril 2020, sur *Elymus magellanicus*.

Global Invasive Species Database (2020): Species profile: *Sagina procumbens*. Downloaded from http://www.iucngisd.org/gisd/species.php?sc=1394, Site Internet, Avril 2020.

Guerrido, C. & Fernandez, D. (2007): Flora Patagonia. FS Editorial Fantástico Sur, ISBN 978-956800716-4, 298 Pages.

Harrison, L. (2012): Latin for gardeners: over 3000 plant names explained and explored. 2012; 224 pages. ISBN-13: 978-0-226-00919-3 (cloth), ISBN-13: 978-0-226-00922-3 (e-book).

Heller, T., Upson, R. & Lewis, R. (2019): Field Guide to the Plants of the Falkland Islands. Ed. Colin Clubbe, Royal Botanic Gardens, ISBN 978-1-84246-675-9, 404 pages.

Hince, B. (2000): The Antarctic Dictionary: A complete guide to Antarctic English. CSIRO Publishing and Museum of Victoria, Collingswood, Australia. ISBN 0-957-7471 1X. 404 pages, Site Internet, Avril 2020, sur *Myrteola nummularia*.

Hofmann, T. (2020): *Elymus magellanicus* - Magellan-Gras. Die Staudengärtnerei Till Hofmann & Fine Molz GbR, https://www.die-staudengaertnerei.de/Elymus-magellanicus, Site Internet, Avril 2020, sur *Elymus magellanicus*.

Hooker, W. J. (1841): Icones plantarum: Or, figures with brief descriptive characters and remarks, of new or rare plants, selected from the author's herbarium. Vol. I. new series or vol. V. of the entire series. London, 388 pages, Site Internet, Avril 2020, sur *Rubus geoides*.

iNaturalist. Available from https://www.inaturalist.org. Mars et Avril 2020.

Info Flora - Fondation pour la documentation et la promotion des plantes sauvages en Suisse: https://www.infoflora.ch, Site Internet, Avril 2020, sur *Vulpia bromoides*.

International Dendrology Society. Trees and Shrubs online: https://treesandshrubsonline.org, Site Internet, Avril 2020, sur *Myrteola nummularia*.

IUCN (2020): The IUCN Red List of Threatened Species. Version 2020-1. https://www.iucnredlist.org, Site Internet, Avril 2020.

Janßen, D.: Flora Emslandia. http://flora-emslandia.de, Site Internet, Avril 2020, sur *Gnaphalium luteoalbum*.

Lewis, L. R. (2015): Learned to make junco (*Marsippospermum grandiflorum*) baskets today with Yagan Elder Julia. https://twitter.com/lilyrobertlewis/status/553691157331726337, Site Internet, Avril 2020 sur *Marsippospermum grandiflorum*.

Liddle, A. (2007): Plants of the Falkland Islands. Falklands Conservation, ISBN 978-0-9538371-9-9, 95 pages

Main Trust - Partners in Citizen Science: T.E.R:R.A.I.N. (Taranaki Educational Resource: Research Analysis and Information Network). Neuseeland, http://www.terrain.net.nz, Site Internet, Avril 2020, sur *Hierochloe redolens*.

Meyer, T.: Flora von Deutschland (Blumen in Schwaben). http://www.blumeninschwaben.de, Site Internet, Avril 2020 sur *Aira praecox*.

Mongellia, E., Desmarcheliera, C., Coussiob, J. & Cicciaa, G. (1997): Biological studies of *Bolax gummifera*, a plant of the Falkland Islands used as a treatment of wounds. Journal of Ethnopharmacology, 56:2, S. 117-121.

Mösbach, E. W. (2000): Botanica Indigena de Chile. Mudeo Chileno de Arte Precolombino, Editorial Andrea Bello, ISBN 978-9561309708, Site Internet, Avril 2020 sur *Acaena ovalifolia*.

Muséum national d'Histoire naturelle [Ed]. (2003-2020): Inventaire National du Patrimoine Naturel, site web : https://inpn.mnhn.fr, Site Internet, Avril 2020 sur *Isolepis cernua*.

National Museums Northern Ireland (2010): Flora of Northern Ireland. http://www.habitas.org.uk, Site Internet, Avril 2020, sur *Acaena ovalifolia*.

Naturwerk: http://www.artenschutz.ch (ehemals Verein Artenschutz Schweiz), Site Internet, Avril 2020, sur *Vulpia bromoides*.

New Zealand Plant Conservation Network (2020): Flora search. NZPCN, https://www.nzpcn.org.nz, Site Internet, Avril 2020 sur *Carex trifida*.

Nürnberger, S. (2018): Die Falkland-Inseln – windgepeitschte Pflanzenwelt im Südatlantik. Der Palmengarten, v. 74, n. 1, S. 23-34, 14 Juni 2018.

Pahler, A. und Rücker, K. (2001): Die Schreibweise deutscher Pflanzennamen. Gartenpraxis 27:12, S. 39-42. Verlag Eugen Ulmer.

Paviour & Davies: Gärtnerei für südamerikanische Pflanzen, insb. chilenische Pflanzen, Herfordshire, U.K. https://www.paviouranddaviesplants.co.uk/plant-profiles/myrteola-nummularia/, Site Internet, Avril 2020, sur *Myrteola nummularia*.

Phephu, N. (2012): Plants of the week: *Marchantia berteroana*. PlantZAfrica.com, South African National Biodiversity Institute (SANBI), http://pza.sanbi.org/marchantia-berteroana 1, Site Internet, Avril 2020, sur *Marchantia berteroana*.

Poncet, S. (2008): Rapid Island Assessment Surveys of islands in the Beaver Islands Group, Weddell Islands Group, Lively Islands Group, King George Sound and Byson Sound, October-December 2008.

Practical Plants and Plants for a Future (PFAF) (2013): Practical plants encyclopedia. https://practicalplants.org/wiki/Marsippospermum_grandiflorum, Site Internet, Avril 2020, sur *Marsippospermum grandiflorum*.

Pütz, K., Lüthi, B. & Reinke-Kunze, C. (2009): Tierwelt der Antarktis und Subantarktis. Antarctic Research Trust, 2. Auflage 2014, 160 pages, ISBN 978-3-033-01791-7.

Rahn, K. (1984): Plantago sect. Oliganthos in southern South America, a taxonomic revision. Nordic Journal of Botany, 4:5, https://doi.org/10.1111/j.1756-1051.1984.tb01986.x, Site Internet, Avril 2020 sur *Plantago barbata*.

Rita, J. & Bala, L. O. (2015): Plantas de Península Valdés. Biodiversidad de la Península Valdés (Patagonia Argentina). https://jrita2.wixsite.com/cursopatagonia/suaeda-argentinensis, Site Internet, Avril 2020, sur *Suaeda argentinensis*.

Ross, F. (2019): Bluegrass for habitat restoration. Falkland Islands Wildlife Conservation.

Ross, F. (2017): Where tussac won't: coastal bluegrass might... Advice for planting bluegrass in eroded areas, February 2017. Falklands Conservation. Leaflet, 3 pages.

Rozzi, R. (2010): Multi-Ethnic Bird Guide of the Subantarctic Forests of South America. Univ of North Texas Pr, 2. Auflage, 236 Seiten, ISBN 978-1574412826, Site Internet, Avril 2020, sur *Marsippospermum grandiflorum*.

Rüther, P. (2005): Die botanischen Pflanzennamen und ihre Bedeutung. Biologische Station Kreis Paderborn - Senne. pages 20-25.

Schulz, D. (1999): Rote Liste Farn- und Samenpflanzen. Sächsisches Landesamt für Umwelt und Geologie, Materialien zu Naturschutz und Landschaftspflege, 35 pages.

Skottsberg, C. (1905): Wissenschaftliche Ergebnisse der Schwedischen Südpolar-Expedition 1901-1903 unter Leitung von Dr. Otto Nordenskjöld. Stockholm. Bd. 4 (1905). Hepaticae. Gesammelt von C. Skottsberg. Bearbeitet von F. Stephane.

Staatliche Naturwissenschaftliche Sammlungen Bayerns: Flora von Bayern. Steckbriefe zu den Gefäßpflanzen Bayerns. SNSB IT Center, Botanische Staatssammlung München. http://daten.bayernflora.de/de/info_pflanzen.php?taxnr=29951, Site Internet, Avril 2020, sur *Gnaphalium luteoalbum*.

Summers, D. (2005): A visitor's guide to the Falkland Islands. Falklands Conservation. ISBN 0-9538371-1-4, 109 pages.

Suttie, J. M., Reynolds, S.G. & Batello, C. (Hrsg.) (2005): Grasslands of the world (FAO plant production and protection). Food & Agriculture Organization of the United Nations (FAO), ISBN 978-9251053379, 536 Seiten, Site Internet, Avril 2020, sur *Festuca magellanica.*

Tatham, D. (Editor) (2008): Dictionary of Falklands Biography including South Georgia. ISBN 978-0955898501, 572 Seiten, https://www.falklandsbiographies.org, Site Internet, Avril 2020, sur Arthur Felton.

Tela Botanica: eflore. L'association Tela Botanica, Montpellier, France, https://www.tela-botanica.org, Site Internet, Avril 2020

The Plant List (2013): Version 1.1 Published on the Internet; http://www.theplantlist.org, Site Internet, Avril 2020

The Royal Society for the Protection of Birds (RSPB)(2018): Gough Team 63 - Settling into island life. https://www.goughisland.com/post/gough-team-63-settling-into-island-life, Site Internet, Avril 2020, sur *Sagina procumbens*.

Tower Habitats (2012): Jersey cudweed (*Gnaphalium luteoalbum*) found in docklands. Tower Hamlets Biodiversity Partnership, https://www.towerhabitats.org/news/jersey-cudweed-found-in-docklands/#prettyPhoto, Site Internet, Avril 2020.

UKOTs Online Herbarium (2020): Facilitated by the Royal Botanic Gardens, Kew. Hamilton, M.A., Heller, T. M. & Barrios, S. (eds.). Published on the internet at http://brahmsonline.kew.org/UKOT, Site Internet, Avril 2020 sur les plantes des Falkland et *Gamochaeta malvinensis*.

Upson, R. (2011): New Island botanical survey, 2010/2011. Report to New Island Conservation Trust, 45 Seiten, http://www.newislandtrust.com/site/wp-content/uploads/2017/07/NICT-Botanical-Survey-report_R_Upson_300811.pdf, Site Internet, Avril 2020

Upson, R. (2012): Identification guide to globally and nationally threatened vascular plants of the Falkland Islands. Falklands Conservation, Kew Royal Botanic Gardens, OTEP (United Kingdom Overseas Territories Environment Programme), 27 Seiten, https://admin.falklandsconservation.com/app/uploads/2020/01/ADDID_guide_FI_Red_List_plants_final_RU2012.pdf, Site Internet, Avril 2020.

Upson, R. (2012): Important Plant Areas of the Falklands Islands. Report, Falklands Conservation. 80 pages, https://admin.falklandsconservation.com/app/uploads/2019/12/Important-Plant-Areas-of-the-Falkland-Islands.pdf, Site Internet, Avril 2020

Upson, R. & Lewis, R. (2014): Updated vascular plant checklist and atlas for the Falkland Islands. Report to Falklands Conservation, 225 pages, https://admin.falklandsconservation.com/app/uploads/2019/01/FI_CHECKLISTATLAS_UpsonLewis2014.pdf, Site Internet, Avril 2020

USDA, Agricultural Research Service (2020): National Plant Germplasm System. 2020. Germplasm Resources Information Network (GRIN-Taxonomy). National Germplasm Resources Laboratory, Beltsville, Maryland. URL: https://npgsweb.ars-grin.gov/gringlobal/taxonomydetail.aspx?id=409620, Site Internet, Avril 2020, sur *Isolepis cernua*.

US Forest Service, Pacific Island Ecosystems at Risk (PIER): http://www.hear.org/pier/, Site Internet, Avril 2020, sur *Acaena ovalifolia*.

Veitch, C. R., Clout, M. N., Martin, A. R., Russell, J. C. & West, C. J. (eds.) (2019): Island invasives: scaling up to meet the challenge. Occasional paper SSC no. 62. Gland, Switzerland: IUCN. xiv + 734 Seiten. ISBN 978-2-8317-1961-0 (PDF).

Villagran, C., Romo, M. & Castro, V. (2003): Ethnobotany of the southern Andes within the first region of Chile: A connection between altiplano cultures and the high canyons of the superior loa. Chungara, Revista de Antropología Chilena. 35:1, S. 73-124, http://dx.doi.org/10.4067/S0717-73562003000100005, Site Internet, Avril 2020 sur *Lilaeopsis macloviana*.

Visser, P., Louw, H. & Cuthbert, R. J. (2010): Strategies to eradicate the invasive plant procumbent pearlwort *Sagina procumbens* on Gough Island, Tristan da Cunha. Conservation Evidence (2010) 7, S. 116-122.

Wagstaff, W. (2018): Falkland Islands - The Bradt Travel Guide. 2nd revised edition, 200 pages. ISBN 978-1784776183, sur *Senecio candidans*.

WCSP (2020): World Checklist of Selected Plant Families. Facilitated by the Royal Botanic Gardens, Kew. Published on the Internet; http://apps.kew.org/wcsp/, Site Internet, Avril 2020, sur *Trisetum phleoides*.

Wikipedia (2020): Wikipedia, die freie Enzyklopädie. https://de.wikipedia.org

Wohlers, W. (2009): *Helichrysum luteoalbum* – Gelbweißes Ruhrkraut (JKI-Pflanzenportraits). Julius-Kühn-Institut. https://offene-naturfuehrer.de, Site Internet, Avril 2020

Woods, R. (2009): Islands Visit Report. Report on visits to Rabbit, Hummock, Middle, Gid's and Green Islands in King George Bay in November 1997 and later visits to Hummock Island. März 2009, 19 pages.

Woods, R.W. (2000): Flowering Plants of the Falkland Islands. Falklands Conservation, London. ISBN 0-9538371-0-6, 108 pages.

Zernig, K., Berg, C., Heber, G., Kniely, G., Leonhardtsberger, S. & Sengl, P. (2015): *Vulpia bromoides*. Bemerkenswertes zur Flora der Steiermark 3. Joannea Botanik 12: 197-229, Site Internet, Avril 2020, sur *Vulpia bromoides*.

## Index

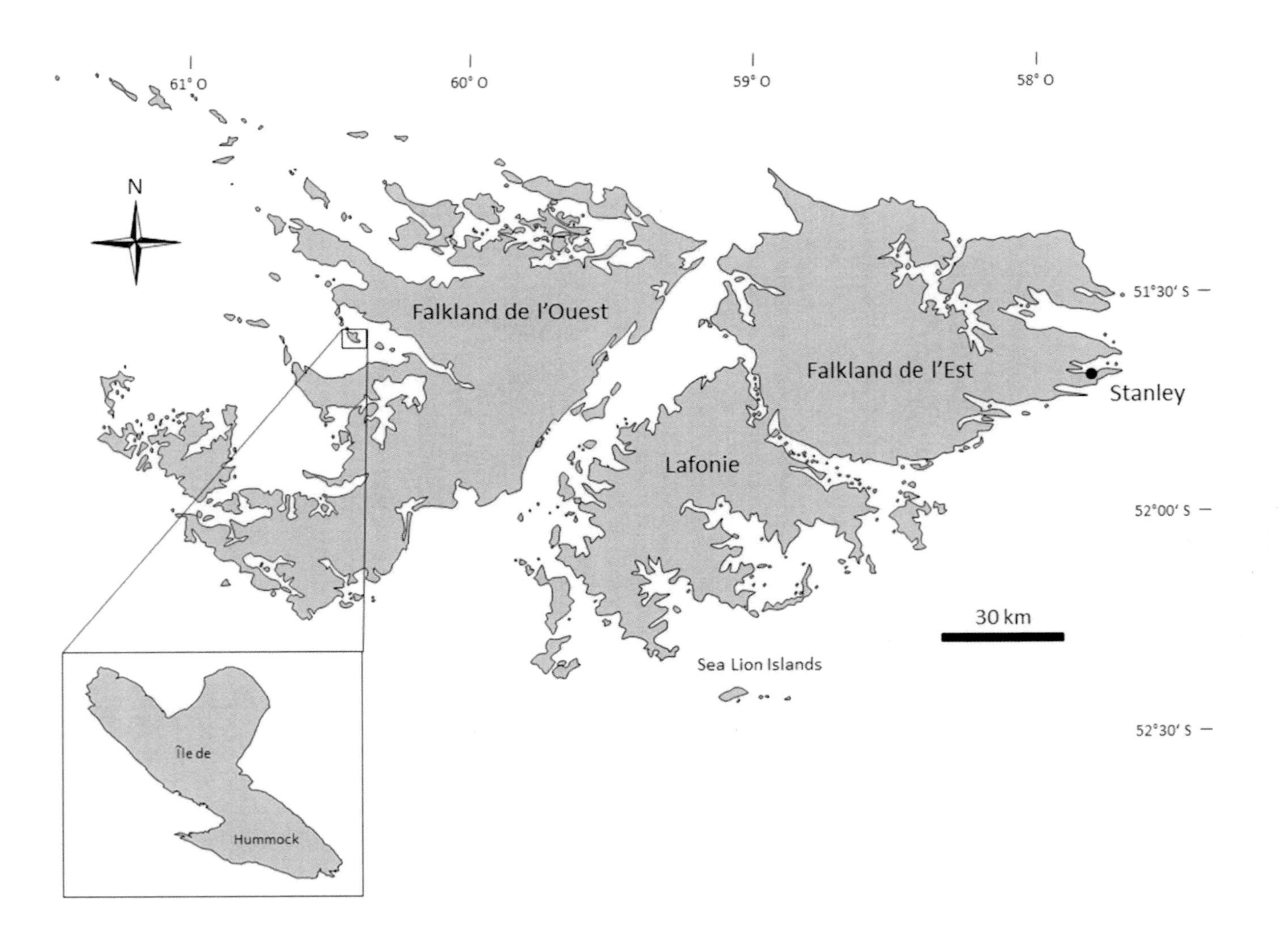
61° O
60° O
59° O
58° O
N
51°30' S
52°00' S
52°30' S
Falkland de l'Ouest
Falkland de l'Est
Stanley
Lafonie
30 km
Sea Lion Islands
Île de
Hummock

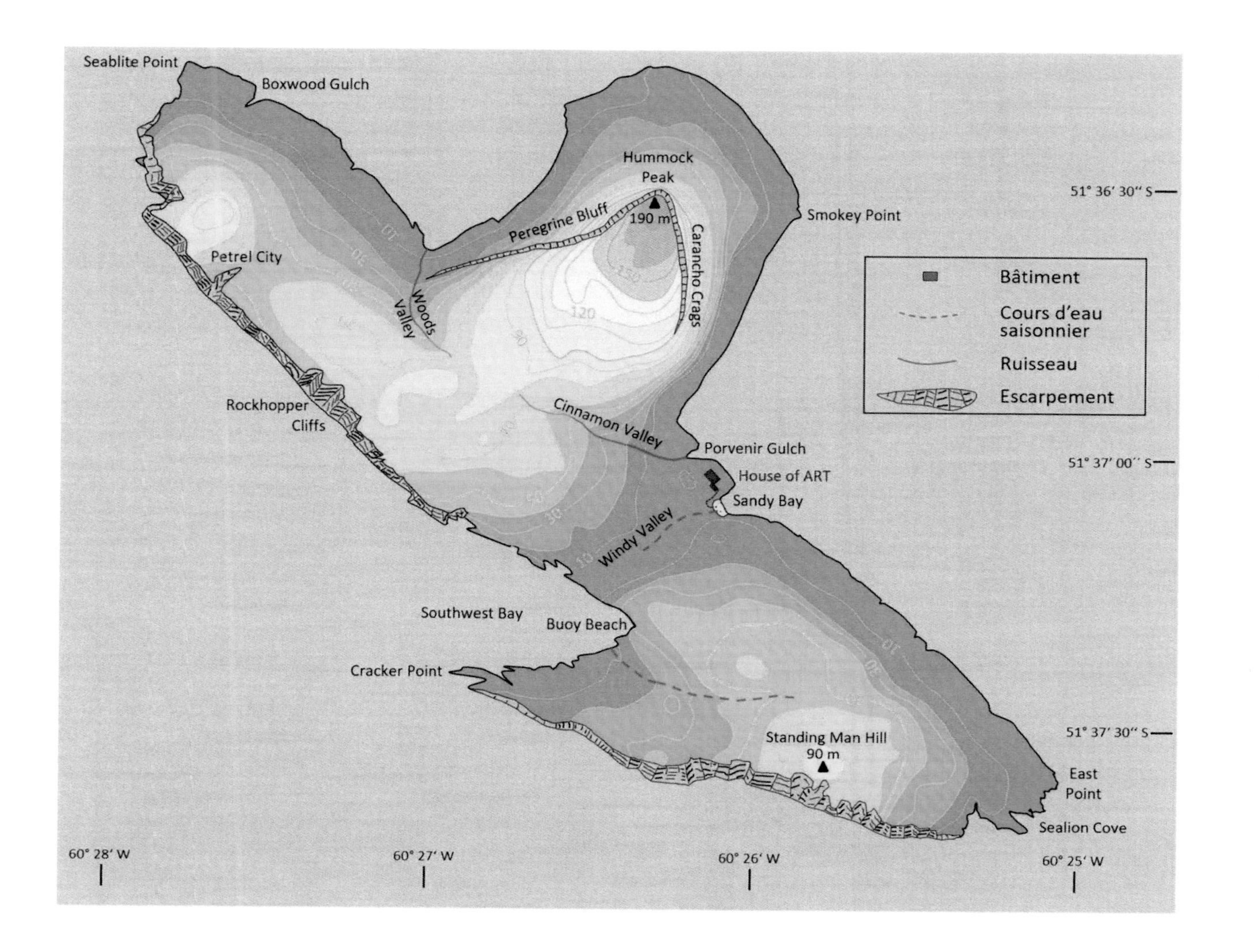

Seablite Point
Boxwood Gulch
Hummock Peak
190 m
Peregrine Bluff
Carancho Crags
Smokey Point
Bâtiment
Cours d'eau saisonnier
Ruisseau
Escarpement
51° 36′ 30″ S
Petrel City
Woods Valley
Rockhopper Cliffs
Cinnamon Valley
Porvenir Gulch
House of ART
Sandy Bay
51° 37′ 00″ S
Windy Valley
Southwest Bay
Buoy Beach
Cracker Point
Standing Man Hill
90 m
51° 37′ 30″ S
East Point
Sealion Cove
60° 28′ W
60° 27′ W
60° 26′ W
60° 25′ W

## Auteures

**Katharina Kreissig**

Katharina Kreissig est diplômée en biologie. Elle travaille pour le Springer Nature une société d'édition dans le domaine de l'éducation à distance et différents programmes d'études. Katharina est également guide naturaliste, conférencière et scientifique, elle encadre régulièrement des croisières dans les régions polaires. Elle a déjà publié un livre sur l'identification des plantes à fleurs ornementales des régions tropicales et subtropicales.

**Alizée Fouchard**

Alizée Fouchard a suivi un parcours de biologiste et s'intéresse aux écosystèmes et aux paysages. Suite à un hivernage dans l'archipel de Crozet (Terres Australes et Antarctiques Françaises), elle a développé un réel attrait pour la flore des régions sub-antarctiques et les problématiques liées à sa conservation. Alizée travaille aujourd'hui en tant que guide naturaliste et conférencière dans les régions polaires et sub-antarctiques. Parallèlement, elle participe à des projets scientifiques d'inventaires et de conservation.